DATE DUE

OCT 0 4 1995	
DEC 0 7 1995	
FEB 0 9 2000	

MONTSERRAT ROIG

RAMONA, ADIOS

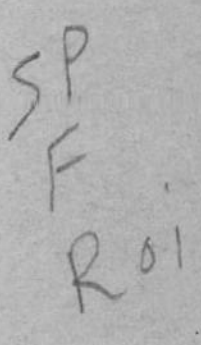

PLAZA & JANES EDITORES, S. A.

Portada de

Jordi Sánchez

Primera edición: Octubre, 1987

Editado por PLAZA & JANES EDITORES, S. A.
Virgen de Guadalupe, 21-33
Esplugues de Llobregat (Barcelona)

Printed in Spain — Impreso en España

ISBN: 84-01-42204-3 — Depósito Legal: B. 34.126 - 1987

Impreso por Litografía Rosés, S. A.
Cobalto, 9 — 08004 Barcelona

Montserrat Roig nació en Barcelona. Cursó estudios de Filología Románica, licenciándose en la Universidad Central de Barcelona en 1968. Desde 1970, ha dado conferencias en todo el Estado español acerca de temas culturales y sobre la problemática de la mujer. Montserrat Roig ha colaborado en las revistas en lengua catalana Serra d'Or, Oriflama, El Pont, Presència, L'Avenç, Els Marges *y* Cavall Fort, *así como en las revistas en lengua castellana* Destino, Mundo, Cuadernos para el Diálogo, La Calle *y* Triunfo. *También ha publicado trabajos en* Avui, El País *y* El Món. *Esta autora ganó los premios Victor Català en 1970, el Sant Jordi en 1976 y el de la Crítica Serra d'Or en 1978. Fue invitada por la Editorial Progreso, de Moscú, en 1980, con el fin de escribir un libro-reportaje sobre el asedio nazi a la ciudad de Leningrado. Durante el primer semestre de 1983 impartió un curso de Historia de Cataluña y otro sobre creación literaria en el Departamento de Estudios Españoles y Latinoamericanos de la Universidad de Strathclyde (Glasgow) invitada por la Fundación Carnegie Fellow. Publica en el Periódico de Catalunya una columna diaria. Ha dirigido y presentado varios programas en la televisión catalana y la estatal, entre los cuales destacan* Personatges, Los padres de nuestros padres *y* Búscate la vida. *Sin lugar a dudas, Monterrat Roig ha sido definitivamente reconocida como uno de los más descollantes valores de la Literatura española en los últimos años.*

Obras de Montserrat Roig

EN CATALÁN
Molta roba i poc sabó (1971)
Ramona, adéu (1972)
Retrats Paral·lels I (1975)
Retrats Paral·lels II (1976)
Retrats Paral·lels III (1978)
Rafael Vidiella, L'aventura de la Revolució (1976)
El temps de les cireres (1976)
Els catalans als camps nazis (1977)
Personatges, primera sèrie (1976)
Personatges, segona sèrie (1980)
L'òpera quotidiana (1982)
L'agulla daurada (1985)

EN CASTELLANO
Los hechiceros de la palabra (1975)
¿Tiempo de mujer? (1980)*
Mi viaje al bloqueo (1982)
Carnets de mujer (1982)
Mujeres hacia un nuevo humanismo (1982)

TRADUCCIONES AL CASTELLANO
Noche y niebla (1978)
La hora violeta (1980)**
Ramona, adiós (1980)**
La ópera cotidiana (1983)
La aguja dorada (1985)***

* Publicado por Plaza & Janés en su colección Varia.
** Publicado por Plaza & Janés en su colección Ave Fénix.
** Publicado por Plaza & Janés en su colección Biografías y Memorias.

A JOSEP M. BENET I JORNET
Y A QUIENES CON ÉL QUIERO.

Amor no és sinó una gran e ampla afecció que hom ha a la cosa que li plau... e aquesta amor dura mentre la persona o la cosa li plau, car després no hi ha gens d'amor.

Curial e Güelfa, I, 133

Encara tremolà tota, i de nou pensà a fugir. Ja era tard. «Per què, ni per qui, sacrificar ja amor, fortuna, vida?»

NARCÍS OLLER, *Pilar Prim*

Me venía el tufo de las bocas del metro, de olor a naranjas fermentadas, y me aguantaba la respiración cuando pasaba junto a los portales. Pero aún me repelía más el hedor de pies, de pies sudados, de la gente refugiada que se apretujaba cerca de las oquedades o en los subterráneos porque no tenían ninguna clase de habitáculo. Temblaban medio muertos de miedo a cada bombardeo. Yo también tenía miedo, pero me lo tragaba, me lo guardaba muy dentro para que nadie notara que estaba buscando a mi marido. Mi marido había pensado en pasarse a los nacionales. Yo me hacía la fuerte y tenía ganas de encontrarme a Kati y contarle que yo, solita y sin ayuda de nadie, estaba buscando a mi marido. En la Biblioteca me habían dicho que hoy Kati se había ido temprano porque unos de la FAI que habían confiscado tres vacas le habían prometido leche para el hijo de su porte-

ra. El hijo de la portera se llamaba Manuel y era de Linares, como sus padres, y tenía el cuerpo lleno de pupas y de costras y el vientre muy hinchado; el pobre se había quedado canijo. Su madre estaba desesperada porque le daba de mamar y él no lograba engullir nada de nada. Dentro de dos meses tendría otro hijo. Kati le había dicho, pero mujer, no seas loca, que lo vas a matar. La leche de las madres es mala cuando esperan un niño. Y Kati la riñó porque hacía mucho tiempo que le había dicho que fuera a unos cursillos que daban unos médicos en Badalona para saber exactamente cómo va eso de tener hijos. Kati también quería que yo fuera a esos cursos, pero a Joan no le hacía gracia, decía que si me dejaba ver demasiado, a la larga le comprometería.

Yo no podía decir a nadie que Joan quería ir a San Sebastián. Ni a tía Sixta ni a Patrícia. Joan me había dicho, Mundeta, el asunto se inclina hacia el bando nacional. Joan había escuchado radio Burgos en casa de los Juncosa, que son del Socorro Blanco, y oyó que los nacionales habían tomado Teruel y que avanzaban hacia el delta del Ebro. Joan me dijo que siguiera anotando las series de los billetes que valen. Nosotros, los que valían los comprábamos, esperábamos la oportunidad y los revendíamos tres veces más caros. Joan supo salirse de apuros, con esto de la guerra. A mamá al principio no le gustó que me casara con Joan, decía que era un pelanas sin ninguna gracia y que nunca había leído un libro, pero luego se calló cuando vio lo bien que sabía ganarse la vida. A las señoras de la colonia de Valldoreix las hacía reír mucho porque contaba chistes un poco verdes y porque tenía cara de gitano rico. Era muy atento con todo el mundo, sobre todo con las damas, y el primer día que me pidió que fuésemos juntos de paseo me regaló un cactus. Joan me dijo que se iba a San Sebastián por unos cuantos días, sólo para olfatear el asunto y que yo no tenía por qué inquietarme. Pero yo soy de sufrir, y más ahora que mamá está en Siurana. Mamá está en Siurana porque no quiere ver cómo los anarquistas queman iglesias y matan a curas y monjas. Dice que ella no entiende demasiado la guerra, pero que no le gusta que la gente ordinaria se meta con la religión. Dice que qué culpa tenía el pobre mosén Pere. A mamá le gustaba el rey Alfonso XIII, pero se sentía republicana de toda la vida. En cierta ocasión ella y una amiga, Pauleta Forns, iban vestidas de blanco y con una sombrilla y paseaban en un coche de punto por el Paseo de Gracia y empezó a perseguirlas otro coche cerrado y resultó que en su interior iba el rey. La fotografía fue reproducida en el Blanco y Negro.

Joan tenía que ir a ver a una señora del Socorro Blanco que vive en la Avenida de las Corts Catalanes delante del cine Coliseum. Yo tenía que recordar sólo los nombres de Comalada y Coliseum por si pasaba algo. Pero de los demás asuntos, punto en boca. Los dos nombres empezaban por Co, Comalada-Coliseum, de esto me acuerdo tanto. Tenía que avisar a Artal, por si ocurría algo imprevisto, pero no podía ir a su casa, delante de la Plaza de Santa Catalina.

Pero Joan me había dicho, con una cara muy grave, que no fuera hoy, que esperara unos cuantos días. Me dijo, hoy tú quietecita en casa. Joan siempre me dice que soy una tonta y una ingenua y que tengo suerte de tenerlo a él, que me guía por la vida. Joan es muy listo.

Desde la frontera tenía que ir hasta San Sebastián, allí le estaría esperando Pujol. Pujol le había asegurado que en los bancos del gobierno de Burgos le concederían créditos. Joan estaba como unas pascuas. A mí me trataba con amor y me compró de estraperlo una combinación francesa de color negro brillante y con encajes rizados en la parte de abajo. Para el niño que había de nacer trajo un día una muñeca de porcelana vestida de María Antonieta que Artal había confiscado en la finca de los Bertran i Musitu. Joan quería una niña. Yo no quiero una niña, quiero que sea niño. Las niñas somos todas unas tontas. Kati y mamá no, por supuesto. Joan decía que nos haríamos ricos y que había que aprovechar la situación. Que yo no debía preocuparme porque la cosa se resolvería a favor del bando nacional. Yo tenía que continuar el negocio de los cuadros con Artal porque convenía que el dinero no estuviera parado. Me tenía que quedar sola unos días, no demasiados. Él me habría avisado luego y nos habríamos vuelto a encontrar en Burgos. A Joan le daba rabia que mamá estuviera en Siurana, no lo entendía, decía que eran caprichos de señora, mira que se las apaña para no necesitar nada de nadie. A veces se pasan días enteros sin dirigirse la palabra y yo no sé qué cara poner. Estoy en medio y recibo los golpes de todos. Kati dice que en parte es culpa mía, que me dejo dominar por los dos y que lo que debo hacer es buscarme trabajo de secretaria o de mecanógrafa, que ella me podría encontrar en la Generalitat porque estudió con la hija de un consejero. Pero yo soy tan tonta que apenas si me acuerdo de lo que me enseñaron en la Cultura de la Mujer. A mí me aterraba no encontrar a Kati, porque sin ella no podría resolver el problema de mi marido. Y no quería ir a buscar a Patrícia o a la tía Sixta. Aunque Joan me dijo que, si le pasaba algo y no regresaba, ellas me ayudarían. Yo tenía que confiar en Artal y no debía buscar para nada a Joan hasta después de pasados, por lo menos, dos días. Pero desde la explosión del camión de trilita, justo delante del cine Coliseum, estoy que no vivo de la angustia que tengo.

Quiero hacerme la fuerte. Kati, cuando lo sepa, me dirá que soy valiente. Cuando la conocí no podía verla ni en pintura. Me parecía una mujer muy presumida y coqueta. Siempre se burlaba de todo, y cuando me veía decía, mira a la del cuerpo de reina. A mí me hacía sonrojarme y no sabía qué contestarle. Todo el día hablaba de versos y de libros y por esto se entendía con mamá. La gente de Valldoreix contaba de ella cosas extrañas, como que sus amigos eran naturistas, vegetarianos y masones. Cuando íbamos a merendar al Núria miraba con impertinencia todo cuanto la rodeaba; yo pensaba que lo hacía por cotillear y por criticar a la gente, pero ahora que la conozco mejor sé que lo hace por curiosidad, porque ella dice que en el mundo hay que conocerlo todo. Tía Sixta dice que las mujeres se hacen bibliotecarias cuando ven que se quedan para vestir santos. A mí me parece que Kati es muy lista y que no necesita a los hombres. Kati dice que la guerra le ha despejado el cerebro, que se ha dado cuenta de que las mujeres sirven para algo y que no sólo han de servir de adorno. Joan dice que Kati vive amargada porque no se ha casado y que no se ha casado porque ningún hombre la quiere, que es demasiado libre y esto, a los hombres, no les gusta. Joan no quiere que me relacione con Kati, dice que si le presto oídos acabaré como ella.

Cuando supe que había estallado un camión de trilita en el bombardeo de la mañana, me asusté mucho. Yo ya sospechaba que pasaban cosas graves porque los cristales de la galería se hicieron añicos y desde entonces las sirenas no han parado. Salí a la calle como una loca y no sabía adónde ir. Pasé dos horas por los alrededores del Coliseum, de un lado para otro, pero había una muchedumbre de soldados que lo rodeaban y nos hacían circular. Mis piernas apenas me sostenían y no me atrevía a preguntar si alguien sabía el nombre de los muertos. Un viejo lleno de llagas y con la cara muy arrugada y sucia me tocó. Salí corriendo de la aprensión que me dio. Caminaba por las calles desorientada. Desde que estalló la guerra había salido pocas veces sola de casa. O bien iba con mamá o con Joan si él tenía tiempo. Me horrorizaba ver Barcelona llena de escombros, de basuras en estado de putrefacción. Todo hedía a huevos podridos y a col hervida. Había muchas casas hundidas y de entre las ruinas salían sillas, me-

sas, a veces cunas y muñecas de trapo. A mí las ruinas siempre me han dado mucha lástima. Cuando íbamos de excursión a algún castillo, como el de Burriac o el de Tona, y contemplaba las cuatro paredes desamparadas, se me saltaban las lágrimas sin que pudiera evitarlo. Joan me decía que era una ñoña, que un montón de piedras no hacen llorar a nadie, que si me habían sorbido el seso. Y mamá me defendía, déjala, le decía, que es tan romántica como yo.

Tropecé con mucha gente, sobre todo viejos y niños que hurgaban en las basuras. Buscaban comida. Yo me apartaba porque los desechos, los huevos aplastados, las peladuras de plátano, los huesos, las tripas de conejo, siempre me habían dado mucho asco. Pero lo peor era el olor a naranjas que despedían las bocas del metro. Era un hedor sólido, empalagoso, que se me adhería a las paredes nasales y ya no me abandonaba. Me mareé un par de veces, ponía los ojos en blanco y las venas de la frente se me hinchaban hasta casi reventar. Tuve que devolver junto a una portería. Salió la portera y me dijo, qué te pasa, que no te encuentras bien. Yo le contesté que esperaba un niño y me dijo, mi pobre chica, qué pena, a quién se le ocurre esperar un niño en medio de este infierno. Me preguntó si tenía el marido en el frente y yo le dije que sí porque Joan me había dicho que no contara a nadie, a excepción de Artal, que quería irse a San Sebastián. Las ambulancias no dejaban de pasar y su sirena estridente se me metía en el tímpano y allí aún duraba mucho rato. Sentí una alarma, la cuarta en un solo día.

Por las calles había poca gente y la que había caminaba de prisa y sin mirar a nadie. Un perro empezó a roer mi zapato. Era un perro esquelético, se le podían contar todas las costillas del cuerpo, y tenía el rabo partido, unos ojos tristes. Recordé a Ignasi y me puse a llorar.

La portera de Kati me dijo que no estaba y que si la quería esperar. Me contó que Kati había ido a Sants porque los del comité de abastecimientos de aquel barrio le habían prometido leche auténtica de vaca. Me mostró a su niño, que tenía las mejillas chupadas, la cabeza con muchos mechones de pelo caídos y no podía abrir los ojos porque los tenía llenos de costras. El vientre estaba muy hinchado y duro y se le veían diminutas venas, de color lila. La portera me dijo que Kati era una mujer muy valiente y se deshizo en elogios hacia ella. Me preguntó si quería esperarme y me sacó una sillita de mimbre, baja y sucia. Le dije que muchas gracias pero que ya volvería.

Tía Sixta me preguntó que por qué demonios había ido Joan al Coliseum. Yo quería responderle que no le importaba, pero le dije que no sabía por qué había ido.

–¿Estás segura de que estaba allí?

–Creo que sí.

Y me acordé de lo de las dos Co, Comalada-Coliseum. Tía Sixta gemía, que las bombas de hoy han sido terribles, que los aviones no distinguen, Señor, ni a blancos ni a rojos. La de gente que ha debido de morirse allí. Esto no va a terminarse nunca. Tía Sixta hizo venir a Patrícia Miralpeix, que vivía cerca. Y entre las dos empe-

zaron a pensar y a discutir qué era lo que yo debía hacer. Una opinaba que tenía que ir corriendo a los hospitales y la otra que había que avisar a mi madre. Yo sugerí que esperásemos a ver qué opinaba Kati, y que entonces podríamos decidir mejor, pero las dos se me echaron encima. Que Kati era cada día más roja, que siempre había sido una chica moderna pero que ahora exageraba la nota, que se la había visto con los milicianos, que esto y lo otro y lo de más allá. Patrícia decía, la explosión del Coliseum ha sido espantosa. Vosotras habéis oído el estruendo, preguntaba tía Sixta. Y las dos que sí, que lo habíamos oído, y yo contesté que aún no me había levantado porque hoy me hacían mucho daño las varices de las piernas y que los cristales de la galería se habían hecho añicos. Y tía Sixta y Patrícia, ambas a un tiempo, que muchas casas se venían abajo, como si fueran de papel de fumar. El humo negro de los incendios enturbiaba el aire de la ciudad y los balcones estaban llenos de polvo y suciedad.

–Vaya, la maldita casualidad del camión de trilita.

Los cuerpos volaban por los aires como si fuesen de algodón. Los soldados van a pasarse años buscando los muertos. No dejan que se acerque nadie. Te aconsejo que no vayas, me decía tía Sixta. Mañana, con calma, haremos una ronda por los hospitales. Hoy no sacaríamos nada en claro.

–Qué ocurrencia la de tu madre. Irse ahora que esperas un niño.

Yo puse mala cara porque no puedo sufrir

que nadie hable mal de mamá. Además, tía Sixta siempre aprovechaba que yo estuviese delante para ponerla verde. Le tiene envidia. Porque parece que mi madre había sido hermosa cuando joven. Su piel es muy delicada, muy blanca, y las manos mostraban un suave abandono, como si fuesen rayos de luna. Su cabello es largo y fuerte y cuando se lo peina me quedo encantada. Tía Sixta es calva y ha de llevar peluca. Tiene muy poca maña para vestirse. Kati muchas veces se reía de ella porque se colocaba el sombrero al revés. Y cuando íbamos a merendar al Núria se pasaba el rato agujereándose los guantes.

–Si esta noche tienes miedo, te quedas a dormir con nosotras. Nuestro barrio es más tranquilo.

Pensé que tía Sixta tenía mucha desvergüenza. Ofrecía media vida a los demás y luego no daba nada. Un montón de veces me había dicho que me regalaría un conejo y una coneja para criar con ellos. Cuando empezó la guerra, puso en el jardín de su casa un par de jaulas, una para los conejos y otra para los pollos. Yo nunca me atreví a pedirle el conejo y la coneja. Mi madre también había criado conejos, pero nos los habíamos comido antes de que ella se fuera a Siurana. Joan le dio tres cajas de puros para que los cambiara por patatas y carne con los tíos de Siurana. Y ahora comíamos carne de caballo y yo no quería comer conejo si no era de gentes conocidas, pues decían que se vendía gato por conejo. A la mujer de la limpieza le desaparecieron todos los gatos que tenía, y tenía seis. Mi madre cogía las costillitas del conejo y las rebozaba una por una con huevo y pan rallado. Decía que así nos hacíamos el efecto de que comíamos cada día una cosa distinta. Y esto enfadaba todavía más a tía Sixta porque ella sólo sabía hacer el conejo frito.

–Comprendo que estés nerviosa, querida. Pero no puedes estar segura. Joan puede aparecer en cualquier momento, tranquilo y sano, y tú te habrías inquietado por nada.

Yo insistía y recordaba las dos Co, Comalada-Coliseum.

–Eres tozuda.

Patrícia había oído decir que la aviación franquista no pensaba aflojar las posiciones que había ganado el ejército de tierra. Tía Sixta decía que, si había más ataques, ella no lo aguantaba y se iba fuera de Barcelona. Que aquello era un infierno, que se maten entre ellos si quieren. Patrícia me dijo que mamá había hecho muy bien yéndose a Siurana, pero que era una lástima que yo no hubiera ido también. Yo debía quedarme con Joan. Claro, la mujer ha de estar junto al marido. Tía Sixta me dijo que si no quería quedarme por la noche, que por lo menos estuviera aún un rato. Pero yo pensaba irme en seguida, recordaba las dos Co, Comalada-Coliseum.

–Te lo digo por tu bien, mujer.

Tía Sixta me dijo que corrían muchos hombres por las calles que eran auténticas bestias. Y que, si bien el gobierno había querido poner orden, no se notaba. Su marido, que vivía de renta y a quien habían llevado a un «paseo», salvándose por los pelos gracias a un primo comunista pero buena persona, escuchaba radio Burgos cada día y había oído a través de ella que los rojos, cuando entraban en un pueblo, violaban a todas las muchachas y luego las mataban, siempre delante de la iglesia. Yo le contesté que Joan también escuchaba radio Burgos, y a veces la radio de Italia que se llamaba Verdad, y que nunca me había contado semejantes barbaridades. Debe ser para no disgustarte, mujer, dijo Patrícia. Tía Sixta dijo que estas cosas habían de saberse, que todos teníamos que escarmentar de las tonterías que se habían cometido durante la República. Nosotras también tendremos que rendir cuentas a Nuestro Señor de los crímenes y las monstruosidades que hacen los de la «Columna de Hierro», los del «Batallón de la Muerte», y que no le pusieran delante ni a Durruti, ni al Campesino, ni a Abad de Santillán y no sé cuántos nombres más dijo, porque no tendría clemencia ni para ellos ni para sus hijos. Tía Sixta sabía muy bien cómo iba eso de la guerra; su marido decía que no podíamos andar por el mundo con los ojos vendados porque si vas así recibes estacazo cuando menos te lo esperas y de ésa ya no te levantas. Mi madre decía que tía Sixta era una llorica y se hacía la víctima, pero que en realidad era una mala bestia. Mi madre no podía soportar a las gatas falsas y melosas, a las mujeres que se encogían por nada ante sus maridos pero que después, a sus espaldas, los destrozaban con palabras. Mi madre decía las cosas a la cara. Esto le había traído muchos disgustos, como cuando estalló el *asunto y todo el mundo andaba de cabeza y mandaban los anarquistas y la criada le dijo que se marchaba porque su prometido era anarquista y no quería que ella, la criada, estropeara su vida sirviendo a unos señores que iban a misa. Entonces mi madre se puso hecha una furia y le dijo, no os da vergüenza hacer lo que estáis haciendo. La criada se marchó llorando de casa porque en realidad quería a mi madre, pero al cabo de dos días vino un pelotón a registrarnos la casa y Joan le dijo a mamá que hiciera el favor de no meterse en las cosas de los demás, que qué se había creído. Y otra vez malas caras.*

Tía Sixta no podía dejar a las dos niñas solas, si no, dijo, iría conmigo. Patrícia estaba nerviosa porque su marido la quería en casa a todas horas y por aquella época nosotros no teníamos ningún trato con Esteve Miràngels. Patrícia me dlJo, tú lo tienes bien, Mundeta, porque aunque se muera tu hombre igual te calentarás con gas y petróleo. La asquerosa me dijo que yo no sabía lo que era pasar frío y que, en cambio, a un hombre lo encontraría cualquier día. Pero soy injusta, una vez me regaló tres sacos de patatas de la masía de Gualba y diez latas de leche. Y su marido me dedicó con motivo de unas navidades una poesía muy hermosa, muy sentida. Y Patrícia me traía, en los primeros días de mi embarazo, un muslo de gallina casi dos veces a la semana. Decía que la compraba en el mercado de Badalona, donde, si tenías paciencia y hacías cola, podías conseguir una sin tarjeta de racionamiento.

Tomé un plato de lentejas con tocino y me

fui. Sentí un gusto extraño, muy nuevo, una especie de gusto que me dejaba el estómago vacío y la mente limpia, cuando las dos me dijeron que no me acompañarían a buscar a Joan. Yo, con las dos Co, Comalada-Coliseum, salí a la calle, donde hacía más frío que nunca. Aquel invierno era muy frío y los pavimentos de las calles siempre estaban húmedos. Barcelona tenía para mí un color insólito, mis ojos iban descubriendo un espectáculo desconocido, de gente, de movimiento, era como si fuese otra ciudad. En el tranvía oí a un hombre mayor decir que los aviones habían bombardeado los puntos más céntricos y de una manera muy minuciosa, como si lo tuviesen calculado milímetro a milímetro. Una mujer dijo que ella, de tan aterrorizada como estaba, no podía vivir, y que nos moriríamos todos de tanta ansia, tanto miedo y tantos quebraderos de cabeza. Un anciano musitaba, claro, una cosa es hacer la revolución y otra la guerra. El señor que había hablado al principio explicó que toda la culpa la tenían los espías. Pues a fusilarlos, dijo el viejo. Y Negrín, por qué no lo ordena hacer. Ah, Negrín, contestó el señor. Y pareció que se reía por lo bajo. La mujer dijo que la dueña de su tienda de ultramarinos, que tenía parientes cerca del cine Coliseum, le había contado que en la explosión de la mañana había habido más muertos que en todo el resto de la guerra. Y se ve que puse cara de pergamino porque la señora me preguntó, te pasa alguna cosa nena. Y yo le dije que no, que sólo me daba mucha lástima eso de los muertos. Y el anciano dijo, desde que ha estallado este infierno la lástima se ha hecho tan gorda que ya no cabe en el mundo. Y la señora replicó claro, claro. El señor le decía al viejo que los aviones eran italianos y alemanes y que provenían de la base de Mallorca. Sí, otros vendrán que de casa nos echarán, dijo una mujer con cara de murciana pero que hablaba catalán y que no había dicho nada hasta entonces. Las bombas eran de gran potencia y habían sido lanzadas desde una altitud mínima de 5.200 metros. Desde semejante altitud aún no comprendo cómo no revienta la ciudad entera, sería mejor para todos nosotros, dijo el anciano, y entonces le miré más de cerca y vi que tenía la cara picada. Calle, calle, no diga barbaridades, dijo la señora, que se levantó y se colocó junto a la puerta de salida. El señor dijo al viejo de la cara picada, vaya con cuidado que le van a detener por derrotista. Yo me puse detrás de la señora y me encontré nuevamente en medio de la calle.

Por los alrededores del cine Coliseum no se podía dar ni un paso. Las ambulancias corrían, con las sirenas, y volvían otras nuevas. Eran ambulancias militares. La gente gritaba, se amontonaba, todos se daban empujones para pasar. Los soldados decían, por favor, por favor, dejad pasar. Un niño lloraba, con un moco colgando. Aparecía y desaparecía en medio de los remolinos de gente. Yo pensé, no te dejarán llegar. A un lado estaba una mujer gorda con el pelo revuelto que daba muchas explicaciones. Tenía el rostro encarnado como la grana y sobre el brazo izquierdo se le veía colgar la tira de la combinación porque iba sin mangas, pese al mucho frío que hacía. Oí que todo el mundo le preguntaba por personas que vivían cerca de allí y esperé hasta que me encontré justo delante suyo. Todavía se me adelantaron dos matrimonios, uno de ellos era ya muy viejo y la mujer lloraba y se sonaba sin parar. Yo dije, perdone, la señora Comalada, ¿sabe algo de ella? Y ella me preguntó si era una señora de Figueres y yo le dije que sí, para que no me viera vacilar y se negara a responderme. Y la mujer me dijo que la señora Comalada vivía en el principal de la casa de allí delante, de delante del Coliseum, y yo miré y sólo vi una pared. Eso es, una pared. Y el corazón se me salía, de tan fuerte como palpitaba. La mujer me dijo que ella era la portera de dos casas más allá y que lo había visto todo y que, gracias a Dios, se habían salvado de milagro, la casa y ella, pero del miedo que tenía todavía temblaba y que notaba cómo las piernas le flaqueaban. Me dijo que temía que de la casa de la señora Comalada no hubiera quedado nadie con vida, pero que, de todas maneras, había que preguntarlo después. Dijo que el estruendo de la explosión parecía un terremoto, como si la tierra se hundiese y en su lugar quedara una oquedad muy negra, negra y profunda. Como dos bofetadas dadas por la mano de Dios. Y llamas, y gritos, y lamentos, y ayes, y gente sepultada, y brazos que se movían entre las ruinas, y muertos. Qué pena, dijo. Entonces me miró muy adentro y me preguntó si la señora Comalada era algo mío y yo le dije que sí, pero después le dije que no, que sólo era conocida de unos parientes míos y como que había oído en el tranvía que contaban con pelos y señales eso de la explosión, pues que había sentido curiosidad. Y la mujer pareció que se enfadaba y empezó a decir a la gente que nos rodeaba, también tiene gracia sentir curiosidad por estas cosas. Y un hombre dijo que lo encontraba morboso y la viejecita que se sonaba continuamente dijo que había muchas personas que eran felices con las desgracias de los demás. La portera, durante toda la mañana los soldados han de apartar a los curiosos y esto les roba tiempo y trabajo. Yo notaba cómo mis piernas sudaban por las varices pero dije que no quería dar un disgusto a mis parientes, que, los pobres, habían perdido los dos hijos en el frente. La mujer dijo, ah, entonces las cosas cambian. Y añadió que si tenía algún interés, que ella, en mi lugar, iría directamente a los hospitales. Que allí podría investigar muy poca cosa. Que ya veía cuán ajetreados iban los soldados. Que nadie se aclaraba. Y que tampoco me dejarían ir más lejos. A los hospitales, créeme. Vaya, sólo te lo digo para tranquilizarte, que no me imaginara nada más. La vieja del pañuelo decía, ay Señor, si mi Luis está muerto no lo resistiré. Yo dije a la mujer que vivía dos casas más allá de la señora Comalada, muchas gracias.

La plaza de Santa Caterina parecía otra cosa. Había tal vez más suciedad que en los otros barrios, pero la gente caminaba tranquila y unos niños, haciendo corro, jugaban a aquello de la torre en guardia, la torre en guardia, ¿quién la destruirá?, y al lado un corro de niñas les contestaba la torre en guardia, la torre en guardia,

¡no la destruiréis!, y los niños decían iré a quejarme, iré a quejarme, y en lugar de decir al Gran Rey de Borbón, decían que irían al presidente Companys. Había un grupo de mujeres que charlaban e incluso creo que una de ellas se reía. Me acerqué, perdonen, saben algo de Artal. Una de las mujeres, que iba vestida de miliciana, me dijo que el nombre de Artal no le decía nada, después de pensárselo un rato. Y otra con ojos de gatito me dijo que lo preguntara a una mujer que barría una portería de delante porque ellas no eran propiamente del barrio, sino que trabajaban allí porque eran maestras y recogían niños para llevárselos a las colonias de vacaciones cuando hiciera mejor tiempo. Me fui hacia la que estaba barriendo. Le pregunté por Artal. Otra vez, me contestó, y parecía muy enfadada. Este individuo hace mucho tiempo que no vive aquí. No sé quién os envía. Y yo, pero a mí me habían dicho que. Y me interrumpió, sí, ya lo sé, este sinvergüenza vivía en la escalera antes de la guerra, con sus padres. Después los viejos se murieron, de los disgustos que les daba el muchacho, y parece que él cambió de posición de una manera un tanto extraña. Ya se sabe, no es el único. Todo el mundo se aprovecha de la guerra. Y le pregunté dónde vivía y cada vez parecía más enfadada porque me dijo, y tú, eres tonta o qué, cuando un hombre se vuelve rico no quiere saber nada de su vida anterior. Todo esto de aquí era demasiado poco para él.

Y fue entonces cuando me di cuenta de que había anochecido y que el grupo de mujeres se había dispersado y que los niños ya no estaban.

Y empecé a andar por la calle Clarís arriba. Y las calles estaban vacías y tristes. Había pocos faroles encendidos y los que lo estaban daban poca luz.

Pensé en el día en que conocí a Joan y en el día en que me dijo que yo le gustaba muchísimo porque veía que era una mujer limpia y aseada, como su madre, y si me quería casar con él. Yo le dije que sí, y realmente estaba muy contenta porque temía quedarme para vestir santos. Su madre guardaba las camas que no utilizaba con sábanas y mantas y luego las tapaba con fundas de tela blanca de aquellas que se ponen encima de los muebles antes de ir de veraneo. Su madre murió dos meses después de estallar la guerra y Joan se hartó de llorar porque decía que como su madre no había nadie. Cuando la conocí me pareció una mujer muy simpática pero siemrpe atareada y nerviosa. En medio de una conversación se levantaba para mirar si había alguna mota de polvo sobre la mesa. Vivía en la calle de Aragón y decía que si abría un poco las aberturas de las persianas en seguida se filtraba hollín y toda la porquería de los trenes, y que aquello no lo aguantaba y que acabaría con su vida. Lo tenía todo cerrado y, cuando iba a visitarla, los pies se me hinchaban del calor. El primer día me preguntó que cuántas veces creía que se debían lavar y almidonar los tapetes y cortinas de toda la casa y yo le contesté que no lo sabía, y ella me dijo, pues tres veces al menos por semana. Cuando salimos, mamá me dijo que la madre de Joan se inventaba el trabajo porque debía de aburrirse. Pensé también que Joan tenía un as-

pecto espléndido la tarde que le conocí y se me hizo un nudo en la gargante que ni bajaba ni subía. No podía ser, no, que Joan hubiera muerto en la explosión de delante del cine Coliseum.

La noche era cada vez más una boca de lobo y los escasos faroles hacían brillar las sombras de los plátanos. Tenía frío y tenía hambre. Conocí a Joan en una tarde de sábado en Valldoreix. Las mujeres de la colonia iban a esperar a sus maridos en la estación y se sentaban todas en los jardincillos situados junto a la estación. Allí hacían media, y ganchillo, se pasaban largos ratos de palique. Las mujeres criticaban a las que no estaban y a los maridos de las que no estaban. Si el tren llegaba a las siete, las veraneantas, que así eran designadas por la gente del pueblo, iban a las cinco. Era una auténtica diversión. Un sábado acompañé a Patrícia y, al llegar el tren, le vi en seguida. Una amiga de Patrícia me contó que era un invitado de los Palau, que vivían en el otro extremo del pueblo. Los Palau tenían una torre con cipreses y coleccionaban lápidas funerarias. Su niña, que era muy amiga de la hija de los Palau, le había dicho que era un chico muy simpático y muy bromista y que tenía fama de ser un juerguista. Y Patrícia dijo, la gente joven quiere ser moderna, ya se sabe. Yo miré a Joan y me enamoré de sus mechones de cabello, rizados y negros como el carbón.

No pasaba ningún tranvía por la calle. Y yo echaba de menos como nunca el color amarillo de los tranvías de Barcelona. Caía una ligera llovizna, y el frío cada vez era más triste. Entré en el Hospital Clínico y me dijo un soldado que tenía que ir al depósito judicial de cadáveres, que estaba al otro lado. Entré por un pasillo muy largo y con las paredes húmedas y desconchadas, y después me metí por otro pasillo, y por otro y otro, hasta que vi una especie de portezuela y la empujé y me encontré de lleno en el depósito de los muertos. Había mucha gente y todo el mundo hablaba. Emitían un rumor extraño, como un enjambre de abejas. Sentí el olor de muerto y estuve a punto de desmayarme, pero apreté fuertemente los puños y caminé hasta el otro lado, donde había un montón de camillas con gente tendida sobre ellas. Eran los muertos. Todos llevaban etiquetas prendidas por un imperdible a la ropa o colgadas con un bramante alrededor del cuello. Leí la primera, que decía «Hombre sin identificar. Hallado en la Gran Vía, esquina calle de Balmes. Ingresado el 17 de marzo de 1938». La leí tres veces y las letras se volvían redondas y saltaban del papel. No me atrevía a levantar la vista y mirar la cara del hombre de la etiqueta. Volví a apretar los puños e hinqué fuertemente los pies en el suelo. Y miré la cara del hombre de la etiqueta. La tenía destrozada. Su cara era como una masa gelatinosa. A su lado había una niña, menudita como una muñeca, dentro de una caja. Ella no tenía los ojos alucinadamente abiertos, como el hombre de la etiqueta, ni la frente hundida, ni le salían dos dientes agresivos y quietos, ni la boca se le abría en una mueca de aprensión. Era una niña que dormía, no como el hombre de la etiqueta, que quién sabe si era Joan. Y me apoyé en un trozo de pared bastante estrecho. Y pasó el señor de la bata blanca.

El señor de la bata blanca me preguntó que qué hacía yo allí. Yo le dije que buscaba a mi marido y que no sabía si era el hombre de la etiqueta que estaba al lado de la niña que parecía una muñeca y él me contestó que no se sabría hasta mañana, que no entorpeciera el paso, que la gente de fuera armábamos un escándalo de mil demonios, que volviese otro momento si no me importaba, que ellos andaban muy atareados clasificando a la gente. Oí a una mujer que decía, esta mañana han sonado por lo menos tres sirenas. Nos tienen bien fastidiados, los muy sinvergüenzas. Y otra, que eran aviones extranjeros que hacían prácticas. Y vaya prácticas, no cesan de llegar cadáveres de todas clases. Y el señor de la bata blanca, que volviese mañana, que mañana me podría decir alguna cosa segura, que con todos los cadáveres clasificados era más fácil identificarlos. Una simple mirada y listos. Yo dije que mi marido podía ser el hombre de la etiqueta. Y él me dijo, ay, son ya tres las mujeres que me han dicho que su marido podría ser el hombre de la etiqueta. Y detrás, las voces de las mujeres cada vez más fuertes, es que no se trata de un solo bombardeo, un bombardeo aún se aguanta, esto es peor que cuando nos tiraron bombas desde el mar. Y el de la bata blanca me decía que me tomarían por loca si aseguraba ahora con convicción que el hombre de la etiqueta era mi marido. No se podían reconocer, que ni lo soñase. Dijo que casi todas las cabezas llegaban quemadas, literalmente deshechas, ni ojos, ni nariz, que probara de adivinar cómo había sido el rostro concreto de cualquiera, de aquél, por ejemplo. Yo no me atrevía a mirar, y el olor a muerto, a sangre coagulada, sin limpiar, de sudor, de corrupción, el olor a guerra que no me abandonaba. Y entonces vi que traían a un hombre hinchado como un globo y a quien de los oídos le supuraban unos jugos verdosos. Y recordé los días en que iba al cementerio con mamá a limpiar el nicho de papá, un nicho todo de mármol blanco con incrustaciones florales y en medio un caracol de mar rodeado de conchas porque así lo había querido él. Y mamá le ponía un ramo de gardenias y margaritas y a mí me parecía una extraña combinación; pero ella decía que eran flores más románticas que las malvas, que crecían por todas partes. Y el cementerio era muy grande, con una plazoleta en el centro, y unos árboles al final con yedras que trepaban por la pared. Y siempre que íbamos allí hacía mucho sol y nos paseábamos. Si venía tía Sixta siempre decía lo mismo, sienta bien pasear por el cementerio en un día de sol.

El hombre de la bata blanca, viéndome tan obsesionada ante el hombre hinchado como un globo, creyó que lo miraba y me dijo, vete a saber qué era su vida... Y luego, pero no nos queda tiempo para componer necrológicas poéticas. Y me contó que él era médico y, como que se encargaba del depósito de los muertos, sus colegas le llamaban el «adobador de cadáveres». Pero que él se sentía poeta y que antes de la guerra había ganado una englantina en los juegos florales. Me dijo que los versos le apasionaban, que un motivo hermoso, qué me podía decir, una alondra, un bosque de helechos, de sauces junto a un río, una muchacha bonita, lo aprovechaba para «endilgarle» una rima, y venga ya, ya teníamos poesía. Y que ahora era solamente un carnicero que procuraba adobar, si podía, trozos que se llamaban humanos. Y yo cada vez más mareada, más confusa, con el olor a muerte, denso, compacto. En una camilla había un montón de huesos y encima un cráneo que parecía la cabeza de un niño. Y el médico me decía que a veces se equivocaban y que trastocaban los esqueletos y que no concordaban las calaveras con sus esqueletos o al revés. Y la cabeza de una mujer hermosa encima del osario de un hombre, de un cura por ejemplo. Grotesco, y me miraba para ver qué cara ponía. Pero yo empalidecía, la sangre no me circulaba, las manos me sudaban, el estómago se me vaciaba, y todo, esqueletos, cráneos, huesos, calaveras, el hombre como un globo, la carne quemada, el hombre de la bata blanca, giraban en un torbellino y parecían una rueda de tren, sin pararse, sin pararse nunca. Y el médico me preguntaba si me mareaba, si lloraba porque creía que mi marido estaba muerto. Y me dijo que me fuera a mi casa, me preguntó si tenía parientes y le dije que no, tampoco es tan triste vivir solo, y que me tomara una taza de tila o maría luisa y que mañana, con más tranquilidad, prosiguiera la investigación. Y yo, que no me pasa nada, quiero decir que lo único que me pasa es que espero un niño. Y él me preguntó cuándo tenía que nacer y yo le dije que hacia el verano y el médico me dijo, ya verás cómo tu chico nacerá con la felicidad. Y que mi marido no estaba en el Coliseum, ya lo vería. Y yo, que no, que no, que tenía que estar forzosamente, que me lo había dicho antes de marchar de casa. Y el médico sonrió, vaya mujercita tan poco emancipada. Y que también podía intentar ir al Hospital Regional o al Militar. Que había muerto mucha gente y que no toda estaba en el Clínico. Que no cabían. Venga, no llores más, me decía. Que con sólo salir a la calle vería las cosas de otro color. Yo le pregunté dónde ponían los despojos, y él me dijo que yo hacía unas preguntas muy extrañas, que no se perdía ni uno porque los guardaban bien colocados en unos estantes, todos con su etiqueta y su numeración. Y después. Después les buscamos el lugar más adecuado. Esto en caso de que los familiares no comparezcan, pero yo era una esposa fiel y no habría ningún peligro de pérdida. Y la voz de las mujeres de nuevo, hoy no nos traerán heridos, hoy sólo muertos; sí, pedazos, trozos de carne, restos de esqueletos calcinados, tiras de pie, restos de quienes la han diñado. Y el médico, no escuches estas expresiones, que tú pareces de las finas. Y que a él la guerra le había desbaratado la vena poética, que se había vuelto como la chusma. Que antes hacía los versos con cuidado, con mucho amor: que aquél sí era tiempo para la poesía. Me dijo que antes de la guerra era de una peña excursionista y que se pirraba por alcanzar las cimas más altas, como si cos-

quillearan un poco de cielo. Y el médico de la bata blanca se puso muy triste y dijo, tonterías. Y que si había hablado de aquella manera era porque mi cara pálida y hundida y mis ojos desamparados le habían enternecido. Mis ojos. Ignasi me decía que mis ojos miraban de verdad. Y el médico de la bata blanca repetía, no lo comprendo, una chica como tú, en un infierno así. Que le reconcomía. Y que dejara de llorar, que mañana encontraría a mi marido, ya lo verás. Sería una casualidad estúpida que tu marido estuviera en el Coliseum. Que dejara de llorar. Tengo el presentimiento de que se ha salvado. Mira, me dijo, ahora me necesitan, pero si eres buena chica y no molestas demasiado, puedes esperarte fuera, en la sala donde entran los heridos. Te sientas en un banco y procura dormir un rato porque no sé el tiempo que tendrás que quedarte. Que dejara de llorar. Cuenta con horas largas, la noche incluida. Que aún habían de llegar más camiones porque las ambulancias ya no bastaban. Y dijo, aún gracias que los soldados nos ayudan a recoger a los muertos y a los heridos.

Estaba cansada, las varices me tensaban la piel de las piernas, los pies me dolían mucho debido a los callos, a pesar de que me pasaba horas, en casa, ablandándolos con agua hirviendo y un puñado de sal. Tan cansada que, en cuanto le vi, fui a sentarme a su lado. Apoyaba su cabeza sobre el azulejo y con las manos hacía girar la boina. Los labios le temblaban como si refunfuñase. Llevaba una gabardina de color chocolate y la piel de la cara era de miel. Sus ojos parecían de cristal y, en medio, tenía una red de pequeñas venas, hilos finísimos de sangre. Eran ojos de llovizna, húmedos. Y el anciano tenía el aspecto de querer esfumarse, de irse. Me dormí, pero cuando apenas acababa de coger el primer sueño una fuerte cabezada me despertó con mi mejilla sobre su hombro. Me erguí y le miré de reojo para ver si se había dado cuenta. El anciano de los ojos de cristal sonreía, y yo pensé, debe de imaginarse quién sabe qué cosas, que soy una descarada, o una fresca.

Y me preguntó, buscas a alguien, y yo, a mi marido, que esta mañana me dijo que tenía que ir cerca del cine Coliseum, y él, no lo encontrarás, esto es un lío, no se entienden. Dicen que de las ruinas no paran de sacer despojos. Y me miró de la misma manera que la mujer despeinada que vivía dos casas más allá de la señora Comalada, muy adentro, y me dijo, eres muy joven, tú. No lo crea, tengo veintinueve años y espero un niño. Cuando te he visto he pensado, fíjate qué muchacha tan poca cosa. Con la cara tan blanca, de papel de fumar. Y encima, preñada. Y me preguntó si vivía sola, y yo, sí, por ahora. ¿Qué quieres decir? Quiero decir que depende de mi marido, de si ha muerto o qué. Y tengo a mamá en Siurana, un pueblecito muy pequeño que está en la sierra de Prades, cerca de Reus. Y él, vaya, qué problemas, y qué pena que me encontrara así sola en medio de todo aquel follón. Y yo dije, eso. Y él refunfuñó en voz baja, la guerra, diantre, la guerra. Y qué asco. Y me dijo, yo he perdido el hijo en Jaca, un tiro en la cara, me lo dejaron sin rostro, desfigu-

rado del todo. Y era el muchacho de mejor planta del barrio, del Pueblo Seco. Juerguista como ninguno. Trabajador y valiente como ninguno. Como ninguno, repetía el anciano. El diecinueve de julio fue a la Plaza de Cataluña y llevaba unos pantalones recién estrenados, y regresó con los pantalones arrugados, sucios, llenos de desgarraduras, y mi mujer le dijo, de dónde vienes con esos pantalones, y yo le dije, déjalo, que tu hijo viene de hacer la revolución. Y le dejaron con la cara deshecha, y nos devolvieron el billetero con la documentación y nuestra fotografía, de los tres, que un día que fuimos al puerto y subimos a una golondrina y al final de la Rambla fuimos a un quiosco y nos tomamos unas tapas de aceitunas y de anchoas, el chico y yo con vino y la mujer con jarabe, y vino un hombre y nos dijo que nos haría una fotografía por una peseta y yo, pues trato hecho. Y todavía guardo la fotografía. Y me la enseñó, un poco rasgada. El muchacho estaba en medio, alto como un torreón, y apoyaba un brazo sobre el hombro del anciano, un poco más joven, y el otro sobre el de una mujer como un tapón y con ojos de ratita. Y la cara del chico era redonda, de mejillas henchidas y pelo muy rizado y parecía que eso de la fotografía le hiciera mucha gracia. Yo dije que sentía mucho que un muchacho tan bien plantado y tan juerguista se hubiera muerto en el frente, y no me atrevía a preguntarle que qué hacía en el hospital. Pero él en seguida me contó que había venido a ver si encontraba a un sobrino suyo, hijo de mi hermana viuda, está como loca, hijo único, imagínate. Y yo le digo, me dijo el viejo, mira, tú quédate en casa, que eso no es cosa de mujeres. El chico trabaja, o trabajaba, vete a saber, en un almacén de tejidos que había delante del cine Coliseum. Está de aprendiz. Y otra vez, la guerra, cuyo recuerdo nos va a durar toda la vida, toda la vida nos roerá por dentro, a nosotros y a nuestros hijos, y quién sabe si a nuestros nietos. Y ahora se llevan hasta a los jovencitos, y eso no hay manera de que se acabe. Y pasarán muchos años antes de que la gente de este país lo olvide. Porque nos han hecho mucho daño, y las penas se quedan muy adentro y no habrá alegría que las reblandezca. Y fingiremos que aquí no ha pasado nada, aquí paz y allá gloria, y todo el mundo volverá a la vida de siempre, pero un día, zas, estallará la cosa, y tal vez sea la generación que seguirá a la generación de los más jóvenes de ahora la que armará el barullo. Y los ojos húmedos del viejo parpadeaban como reflejos del arco iris.

Y pensó en Ignasi. Y le dije, usted sí que debe de haber visto muchas cosas. Y él, santo cielo, yo soy perro viejo y escarmentado. Antes de que Durruti saliera del agujero, perdona, quiero decir antes de que naciera, yo hacía ya de las mías. Tenía doce años, era aprendiz de cajista y fui a una manifestación porque había subido cinco céntimos el pan. Las patas de los caballos, recias y enormes, y los sables de los soldados volaban por encima de mi cabeza, y me dije, chaval, te partirán por la mitad pero aunque te partan has de correr, has de correr, que no te agarren, y me puse a correr por entre la muchedumbre, y no sabía si ya me habían partido por la mitad, si una parte de mi cuerpo andaba por un lado y la otra por el otro. Pensé que mi cuerpo ya no tendría arreglo. Habían colocado a las mujeres y a los niños en primera fila porque decían que los soldados no disparaban si veían mujeres y niños delante, pero ¡qué va!, dispararon. Oí un ruido seco, como un chasquido, y vi levantarse mucho polvo y gente con la cara sucia, que corrían y gemían y orejas partidas, cráneos abiertos, un hombre que se caía, otro más lejos, brazos que sangraban, la calle húmeda de nuestra sangre, las mujeres que lanzaban gritos y los chavales chillidos. Se armó un alboroto de mil demonios... Y las venillas de los ojos del anciano adquirían un color granate, se ponían brillantes y vivaces, y me contó que en el año trece yo ya era tipógrafo e hicimos una huelga general porque no queríamos trabajar a destajo. La pasábamos canuta cuando nos tocaba componer en catalán, era como hacerlo en latín. Y los burgueses nos dijeron que éramos unos malos patriotas, que por qué teníamos que cobrar una tarifa mayor para el catalán, y nosotros les dijimos que ellos no eran cristianos ni nada porque no se daban cuenta de que los tipógrafos castellanos no entendían nada de catalán. Y es que los burgueses no han sido nunca cristianos, sino unos hipócritas, eso. Y la piel de color de miel del anciano se volvía olivácea. Y me dijo que una vez había visto en El Sol *una caricatura de Bagaría que representaba a un niño de ocho años que iba por la calle cogido de la mano de su padre y que el chico vio pasar por su lado a un señor que mostraba con gran ostentación un Santo Cristo enorme sobre la solapa de su chaqueta. El niño preguntó a su padre:*

¿Por qué lleva ese señor el Santo Cristo fuera, papá? Porque no lo lleva dentro, hijo mío, le contestó el padre. Y yo pensé en mi madre. Y el viejo, hubieras debido oírme en la plaza de las Arenas, cuando aquello de la Canadiense. Yo estaba a tres metros del Noi del Sucre y me quedé con la garganta seca de tanto gritar y jalearle. Todos, en la plaza, bramábamos como un solo hombre. Y él nos decía, calma, mucha calma, que nosotros teníamos que volver al trabajo y demostrar que sabíamos cumplir nuestra palabra de hombres y que así la autoridad dejaría libres a nuestros compañeros encarcelados. Y volvimos al trabajo, pero nuestros compañeros no salieron de la cárcel. Y nosotros vuelta a la huelga, que aquí no ha pasado nada. Y las venillas de los ojos húmedos cada vez más rojas, más duras, como si quisiesen estallar. Y que yo por aquellos tiempos debería de ser muy menuda, verdad. Y entonces me di cuenta de que me contaba cosas de cuando yo estaba ya en el mundo y me dio vergüenza decirle que yo, de todo eso de la plaza de las Arenas, no sabía una palabra. Que estudiaba en las Salesianas y que iba siempre con mi mamá del colegio a casa y de casa al colegio. Y que me daban mucha rabia las niñas del colegio de la Presentación porque llevaban dos uniformes, uno de invierno y uno de verano, y un sombrero negro bonito como una pamela, y que las que estudiábamos en las Salesianas no llevábamos sombrero y sólo teníamos un uniforme. Le dije que no empecé a darme cuenta de eso de la política hasta el día en que proclamaron la República.

6 de diciembre de 1894.

Pasado mañana me caso con el sobrino de la viuda Climent, Francisco Ventura, que me salvó la noche de la bomba del Liceo. La viuda Climent no es viuda, pero se hace llamar así porque el marido se le fugó a La Habana con una bailarina parisiense. Lo sé por mi camarera, quiero decir la de mis padres, y ella lo sabe por la camarera de la madre de Pauleta.

Pasado mañana me caso y me da risa que pueda estar escribiendo ahora estas palabras así, como si nada. No siento la *ivresse* de las novelas. Primero hice la Primera Comunión, luego los papás me pusieron de largo y mañana me caso con Francisco.

Me gusta la presencia de Francisco. Aunque a veces quisiera adivinar en su rostro una chispa de melancolía, la tristeza de los espíritus románticos, de los que no esperamos nada de este mundo. Francisco es un hombre de buena planta, un caballero educado, muy fino y elegante. Sus ojos me muestran ternura cuando me miran. Es un hombre decente y no puedo desear nada mejor. Papá me ha dicho, mira, niña, has de tener presente que nosotros venimos del campo, que nos hemos enriquecido gracias a la exportación de avellanas de Siurana, pero tal vez mañana la suerte nos será adversa. Papá dice que Francisco tiene una fortuna discreta pero segura y que es persona sensata y barcelonés de raigambre y que su familia, a excepción del bala perdida de su tío, es honesta y decente.

Los primeros días que Francisco venía por casa me daba risa porque yo no sabía que algunos hombres se pintaban el bigote para tener mejor aspecto. Mientras papá y él hablaban de sus negocios, yo me entretenía observando cómo se lo retorcía con la punta de los dedos. Cogía unos cuantos pelos, les daba dos o tres vueltas, y los movía a un lado o al otro. Algunas veces se humedecía los labios con la lengua. La sacaba poco a poco y marcaba con ella todo el perímetro de la boca. Los labios quedaban húmedos y brillaban como dos cerezas bajo el bigote. Cuando venía de visita los días que recibíamos –y sobre todo cuando estaba papá– se erguía poniendo el cuerpo tieso, la espalda muy recta, las piernas muy envaradas, la mirada atenta. Apoyaba sus manos en un bastón con empuñadura de nácar. En tales ocasiones se me aparecía algo vulgar. Yo creo que un señor no tiene que forzarse para actuar como un señor. Que estas cosas salen de dentro, se respiran sin que nadie sepa de qué manera. Francisco hace de prestamista y parece que las cosas no le van mal. Papá está contento con él y no lo disimula. Mamá, que se lo discute todo, dice que no hay para tanto, que de eso se trataba, de encontrar para la nena, o sea para mí, un hombre decente.

Pero el día en que Francisco me dijo, señorita, no sabe cómo la quiero, usted lo representa todo para mí, me sentí muy vieja. Siento añoranza de cuando era niña y no pensaba en nada y todo me hacía feliz. He pasado las horas muertas de mi vida mirando a la calle, procurando adivinar en ella un pedacito de cielo, una tira azul, con nubes que se ensanchan y se encogen. Así no me ponía triste porque las nubecitas me contaban sus viajes; y que veían pequeño el mundo y que América era una sábana de color verde y que España es tan pequeñita que apenas se ve.

Siempre había hecho el papel de muchacha atrevida. No sabía si lo representaba para disimular una timidez enfermiza o para hacerse notar, o más propiamente para ser admitida en todos los círculos. Ahora no le importaba en absoluto lo que pudieran pensar: tuvo un movimiento de impaciencia mientras estudiaba en casa de Anna, qué envidia me da Anna, que vive sola. Sintió, de repente, la alegre urgencia de volver al lado de él, de pensar, juntos, que nada valía la pena salvo su mundo, salvo ellos dos. Al atardecer se habían separado molestos el uno con el otro y vete a saber si no había sido una tontería de esas que se te pasan al rato.

Recordó cómo se había despertado, por la mañana, y cómo había presionado ligeramente el cuerpo que tenía cerca, cómo había necesitado sentir otro aliento, otra existencia. El corazón le palpitaba furiosamente mientras acariciaba con la punta de los dedos su piel, apenas rozándola, tan sólo para sentir en su epidermis el temblor del contacto.

¿Cuánto tiempo hacía que dormían juntos? Todo había sido muy rápido. Después de coincidir dos o tres veces en reuniones de aquellas en las que el paso del tiempo no dejaría más rastro que el histerismo o la desesperación, se habían metido en la cama. Pronto haría dos años. La primera noche él iba algo bebido y empezó aferrándose a ella –pensaba: ¿por qué me habrá elegido a mí?– mientras bailaban en el Jazz Colón. Su camisa, empapada de sudor, le acariciaba los pezones. También fue la primera noche que pasó entera fuera de su casa. No podía decir que todo hubiese salido a pedir de boca; él estaba nervioso y tuvieron que repetirlo varias veces. Pero después la costumbre y, sobre todo, el conocimiento lento y penetrante de las debilidades del otro les dio la suficiente seguridad para continuar.

Lo que más le gustaba era que le besara la nuca. Un cosquilleo suave y adormecedor le recorría el espinazo y sentía, durante breves instantes, una irrepetible felicidad. Después, la caricia de sus labios le recorría todo el cuerpo, aquella caricia candente e insegura que le dibujaba la forma del cuerpo, aquel beso que culminaría en el estallido del acto de amor. Sabía lo que representaba aquel beso y lo deseaba con todo el deleite de la inconsciencia.

¿Por qué, cuando todo se confundía con un solo reflejo, él se paraba en seco y se levantaba para beber un vaso de agua o para fumar nerviosamente? Ella, sin atreverse a preguntar nada, se daba una vuelta para atrapar el sueño que le habían truncado. ¿Por qué era siempre él quien empezaba y también quien lo interrumpía, justo al iniciarse el placer? Sus manos, las de él, alargadas y blancas, unas manos pálidas y dudosas como la muerte, sudaban. El cigarrillo se le caía de entre los dedos y su rostro ocultaba un miedo inconfesable. Pero cuando le veía de nuevo dormido y sentía su respiración, tan ligera, deseaba volver a empezar.

Antes de conocer a Jordi se consumía por acabar con su virginidad. Era una molestia que la incomodaba. En el patio de la universidad se hablaba del asunto todo el santo día –pese a que aún nadie vivía bajo el influjo del mayo francés– y a las que lo habían logrado les gustaba proclamar a los cuatro vientos su superioridad. Se acobardaba de tener que confesar que nunca había gozado de ningún contacto, de los que penetran, dentro de su cuerpo. Había empezado a sentir el impulso ardiente e irreconciliable del sexo en los Capuchinos, tres años antes (1), cuando imaginó parejas que se junta-

(1) Se refiere a la asamblea constituyente del Sindicato Democrático de Estudiantes de la Universidad de Barcelona, SDEUB, celebrada en el

ban sobre el escenario o se acoplaban sobre papeles de periódico, en los rincones más oscuros y fríos de los pasadizos monacales, para hacer el amor. La fiebre de sus diecisiete años, una fiebre ignorante y cobarde, la hacía detenerse a reflexionar sobre la autenticidad de sus pensamientos. Cualquier sombra sospechosa se le antojaba dos cuerpos abrazándose, cualquier ruido era el jadeo de la vitalidad afortunada. La noche del nueve de marzo de 1966 representó para quienes supieron vivirla con lucidez, el instante no recuperable, supremo, en que se funden los anhelos más primarios y oscuros con la voluntad de reafirmarse colectivamente. Ni la propaganda que la Prensa hizo más tarde aludiendo a no sé qué historias de «contubernios» le pudo borrar de la mente la sensación de íntima inutilidad de sus actos. Fue durante aquella asamblea constituyente cuando le oyó hablar por primera vez. Era un estudiante de segundo curso que nadie conocía. La figura se destacó por encima de las demás gracias a la clarividencia de los razonamientos. Su manera de hablar era pausada, calmosa, como un sedante, su voz poseía lo que apacigua las dudas, el confusionismo, la latente inseguridad de los universitarios. Era un líder, pese a su juventud. Y lo era porque no se jactaba de serlo. Convenció muy pronto a todos de que se quedaran y resistieran. Después, en la asamblea del veinti-

---

convento de los capuchinos de Sarriá, el 9 de marzo de 1966. La policía cercó dicho convento hasta el 11 de marzo, día en que entró violentamente en él. A raíz de la asamblea, el gobierno tomó represalias contra quienes habían participado en ella.

siete de abril, cuando la policía entró en la universidad y provocó el pánico entre los estudiantes, volvieron a oírse, por encima de los gritos, de los insultos, de los gemidos y de las carreras, sus palabras reclamando calma.

Ya no volvió a verle hasta una noche, más adelante, en el Jazz Colón. Y el líder le pareció hermoso bajo las luces turbadoras. Poseía una belleza casi moral, una belleza que se esforzaba por ocultar la reflexión y la serenidad. Y fue entonces, entre las sinuosidades de los focos psicodélicos, cuando empezó a saborear la certeza del primer contacto. Porque, a pesar de que sus amigas hacían regularmente el amor, como el pan de cada día, y las recetas de píldoras corrían a raudales, ella seguía con el oculto deseo insatisfecho: creía, aún, que los cuerpos se identificaban porque recibían, como un ritual, la culminación de su conocimiento. Y esto sólo sucedería después de otros actos amorosos, como un largo paseo por el barrio gótico, o de una conversación de aquellas que sólo pueden tenerse a altas horas de la madrugada, en medio del humo y de los vapores del alcohol, cuando las palabras se tornan sagradas gracias a la sinceridad.

Creía haber dedicado toda su vida a buscar el gran amor, su amor terrible, el inicio del largo viaje al fondo de la noche, cuyo único final fuera la muerte. En aquellos instantes imaginaba cómo los ojos de uno se reflejaban en el cuerpo del otro, y cómo los labios de uno decían al oído del otro:

Tes yeux sont si profonds qu'en m'y
[penchant pour boire,

J'ai vu tous les soleils y venir se mirer,
S'y jeter à mourir tous les désespérés.
Tes yeux sont si profonds que j'y perds la mé-
[moire.

Él se burlaba de su nombre. Mundeta, le decía, tienes un nombre del año catapún. Y luego se dormía a su lado sin añadir una sola palabra más. Cuando lo veía dormido, el silencio de su sueño, el sonido de su jadeo y la imagen de su presencia eran exclusivamente de ella, le pertenecían para siempre.

Se fue de la casa de Anna con el miedo a arrepentimientos imprevisibles. Andaba de prisa. Cruzaba las calles mientras el aire de la noche la despejaba. Deseaba volver junto a él cuanto antes, apretar contra su cuerpo una realidad que le era asequible. Sabía que aquellas relaciones no le habían proporcionado ninguna ternura, ninguna larga noche de amor, ninguna plenitud. Tenía la certidumbre de que, fracaso tras fracaso, se habían necesitado el uno al otro y de que, vinculados por su impotencia, ensayaban continuamente la definitiva destrucción.

Mundeta Ventura, con su vestido de crespón de dos piezas de falda plisada, esperaba a su madre para ir al Núria. Las uñas, pintadas con esmalte Rosina, tenían la longitud adecuada. A Mundeta le gustaban largas, unas uñas transparentes y arqueadas, unas uñas que se insinuaran, que acariciaran la espalda de un actor de cine, de un Rodolfo, de un Roman, de un Conrad. La madre tardaba e iban a perderse la merienda del Núria. Iría la ñoña de la Patricia, como decía mamá, la sombra de aquel pedazo de hombre que se hacía llamar Poeta. Y tía Sixta, que parecía una vieja pese a que no pasaba de los treinta y tenía una niña de menos de tres años. Pero la madre de Mundeta decía que las pelucas envejecen.

Mundeta Ventura abrió por segunda vez el último número de «La Dona Catalana». Este año el cabello se estilará más largo y advertimos la tendencia, sobre todo entre las jovencitas, de los bucles en la parte de atrás/En La Cultura de la Dona había notado mucho movimiento, mucho jaleo, las profesoras corrían excitadas de un lado a otro y todas murmuraban en voz baja con un bisbiseo incómodo y un rumor insólito. Mundeta Ventura pensó que su madre habría escuchado la radio, no se perdía ninguna noticia, ella me pondrá al corriente. Toda mujer que cuida de su higiene tiene siempre a mano una pastilla de jabón de almendra/Y eso que mamá suele ser bastante puntual. Empezó a inquietarse, a preguntarse qué habría pasado. Otra idea nueva es la de llevar las medias con el talón diferente, aunque durante la primavera las mujeres seguirán llevando los tonos *beige* oscuro, tirando a lila y marrón claro/Le gustaría subir el domingo a Valldoreix, la atmósfera había cambiado, todo desprendía un olor nuevo, de primavera, y los árboles ya no daban pena como en invierno. Se lo iba a proponer. Leyendo «La Dona Catalana» se protegen los intereses del hogar/Le iba a decir, mamá, ¿y si subiéramos a Valldoreix? Es el mes de abril, el calor empieza a ser pegajoso, la calina de Barcelona es molesta. Pero mamá la miraría, qué vas a hacer tú allí, hija mía, le preguntaría, te harás un ovillo en un rincón y no dirás esta boca es mía. Y otra vez el sonsonete de siempre de, no entiendo cómo es tan tímida, se pone mustia como una rosa sin lluvia, una chica como tú, con tan buena presencia... Mamá sí que tenía buena presencia, en la pintura que le hizo papá, con la cabellera desordenada como si entrara el viento por la ventana. Ves, aquí yo tocaba el vals de *Coppelia* y papá me escuchaba. Y papá la escuchaba, enamorado, y mamá, tan hermosa, con las manos como dalias en flor y papá que le diría, tócame el *Claro de luna*, querida. Y la tarde iría languideciendo poco a poco. Y ahora el *Vals de las flores*, y ella, basta, basta, querido. Y la gasa de la ventana alzaría el vuelo porque habría entrado la noche en la habitación. Y con las últimas notas todavía en la cabeza se irían a cenar. Durante el último año se notó la tendencia a concentrar los adornos detrás y no delante. Las faldas son más largas por detrás/Y la habitación de los papás olería a perfume, de Coty, de Worth, de crema Lasègue, de polvos compactos y de tomillo. Porque a mamá le gustaba mucho mucho poner hierba de tomillo en la ropa de los armarios, en las sábanas de hilo, en las camisas de seda, en las pieles de renard, de marta, de astracán. Y papá le diría, mi niña mimosa, mi pequeña ardilla. Y los dos cerrarían los ojos a la vez porque mamá decía siempre que estaban muy compenetrados. Y mamá, cuando le pediría que fuéramos a Valldoreix, no me lo creo que no haya ningún hombre que te agrade. Y ella, me da vergüenza, mamá, estoy tan delgada, sin pechos, flaca. *Medias decoradas*. Los motivos más corrientes son: cuadros, zigzags, triángulos, paralelogramos, óvalos y muchos otros. Pero la decoración modernista de figuras geométricas es la más empleada para este fin/Y luego vendría aquello de ay, hija mía, no te casaré nunca, y todo el santo día tener que contestar que me daba igual que si acaso peor para mí. Mundeta Ventura oyó un rumor de voces roncas que iba subiendo de tono a medida que se acercaban. Sabéis que la mujer catalana ha sido siempre la más fiel guardiana de nuestra fe y de nuestras tradiciones ancestrales, sabéis que son vuestras virtudes raciales/ Como si de toda Barcelona llegaran oleadas de gritos. Grupos de gente se aglomeraban hacia las callejas que conducían hacia la Rambla y sus voces se acompasaban en una extraña música. Y Mundeta, ya empiezo a estar preocupada de que no haya llegado. La sensatez que no excluye la alegría, la discreción en el mando, la docilidad en la obediencia, la honestidad en las costumbres/Y si voy al Núria, se preguntaba, mientras la música subía en un vaivén, como una tempestad marina, desordenada y confusa. El griterío ensordecedor de la muchedumbre confluía hacia la Rambla y ella lo oía, estridente. Podía ir sola, pero no se atrevía, después mamá vendrá tal vez aquí, y de vuestras virtudes desciende sobre los hombres y los hace buenos. Josep M. Folch i Torres. Cerró el semanario con ademán brusco, era difícil concentrarse en medio de la inquietud que se respiraba. No, no podía ir al Núria sin su madre, por la señora Miràngels, Patrícia, no le importaba, era discreta y educada, pero la Kati, con sus impertinencias de intelectual, no dejaría de preguntarme por qué he ido sola. Me sonrojaría con sólo tener que decir que me habían dado miedo los gritos procedentes de la Rambla. La Kati es una indiscreta, con muchos humos de mujer de mundo, y que no sabe disimular su vicio de meter en todas partes la nariz. Pero, ¿no es mamá la que corre por la otra acera de la calle?

7 de diciembre de 1894

No sé por qué me caso. Pienso que es muy difícil prever qué nos tiene reservado el destino. Una mujer necesita a un hombre a su lado, por miedo a encontrarse sola, de ser el hazmerreír de la gente. Sobre todo, por miedo a llegar a vieja sin salud y con el alma reseca. También quiero terminar con las visitas de *cumplo y miento* que debo soportar al lado de mamá. Mamá y yo no nos entendemos. Empeñada en convertirme en una señorita, no me ha dejado leer en toda mi vida, que es lo único que me gusta un poco. Tenía que hacer encajes, siempre con los bolillos entre manos. Mientras tanto, soñaba con mis heroínas de los libros, las santas y las reinas, que me acompañaban cada noche, escondida en el desván y con una vela encendida al lado. Francisco me ha dicho que sólo tiene un libro, *El buen muchacho* de Paul de Koch.

Cuando leía en el desván, mi mente huía y yo me veía, entre las ruinas agrestes de Siurana, prisionera del rey moro. Inmóvil junto al precipicio, intuía abajo las sombras de las rocas, unas sombras silenciosas y expectantes, y sentía entonces el rumor del río y el ruido de los árboles, que gemían con un aullido misterioso. Yo era una doncella cristiana que moría para salvar nuestra Fe. Yo, completamente sola sobre la roca, ascendía magnífica hacia el cielo y alguien, desde un agujerito, admiraba mi belleza y mi valentía. Y la gente de todo el mundo loaba mi audacia. Y me hacían santa. Y es que yo sólo era feliz cuando iba a Siurana y el abuelo me contaba historias de caballeros errantes, cuyos espíritus aún vagan por la sierra de Prades, y de frailes que se convierten en animales porque han ofendido a Nuestro Señor, y de doncellas que lloran el amor perdido. A veces, cuando el «padre» del colegio nos explicaba que Nuestro Señor era nuestro amante celestial, cerraba los ojos y soñaba unas bodas eternas a su lado y sentía un calorcillo muy dulce en el pecho. Había llegado a pensar que me haría monja, pero las «madres» de la Presentación me parecían tristes y se diría que tienen los labios fríos, gélidos como la muerte. Si me hubiera hecho monja nunca habría conocido a Francisco, mi enamorado, que me llenará el cuerpo de besos y de lágrimas. Claro que es difícil encontrar a un amante como Jesucristo, un amante que te complace en todos los sentidos. Cuando bajábamos, a la hora del rosario, a la capillita ribeteada de azul claro, y allí veía al Sagrado Corazón con su manto rosa y la herida abierta, me venían ganas de llorar, porque su mirada era muy triste.

Estos días estoy muy atareada. He tenido que hacerme un maniquí para no tener que ir a la modista, y así me dedico al ajuar, que no se acaba nunca. Con el barullo de la boda no me ha quedado tiempo para el noviazgo. Aunque cada vez que venía Francisco mamá no nos quitaba la vista de encima. Nos sentábamos en el sofá del salón japonés y ella hacía como que cosía o que bordaba las letras de mis sábanas de hilo mientras seguía nuestros gestos y escuchaba todas nuestras palabras. La primera vez que Francisco puso su mano sobre la mía me dio un escalofrío en el espinazo. Pero la retiró en seguida porque mamá se puso a toser. No hay manera de conocer al que va a ser mi hombre. A mi hija la dejaré sola.

Jordi se la miraba, preciosidad, le decía, ya sabes que un día te dejaré. No entiendo por qué te has ido de casa de Anna. Tienes que estudiar, añadía con su tono de sabihondo. ¿De sabihondo o de héroe de leyenda? Los ojos de Jordi manifestaban la serenidad habitual, como si las cosas del mundo fuesen asequibles de un modo natural, como si la felicidad dependiera de su actitud. Una actitud siempre correcta, de estudiante modélico para catedráticos con problemas de conciencia. *Tes yeux sont si profonds qu'en m'y penchant pour boire, j'ai vu tous les soleils y venir se mirer.* ¿Por qué sólo los poetas saben describir los momentos de ternura compartida? Pero Jordi no le quería estropear la noche y, en el fondo, estaba muy contento de que Mundeta se hubiera marchado de casa de Anna. Y Jordi, acaríciame, sí, muy lentamente, por la espalda. Sí, tengo una peca pequeña. Mi madre me la pintaba, cuando era pequeño. Mundeta se reía con eso de la madre de Jordi y hablaba de Freud, sólo para fingir indiferencia, que no se le notara el ardor de la piel. No, reina, refunfuñaba Jordi, no me vengas ahora con Freud. Y le repetía una y cien veces que ella era su mujer, la mejor del mundo. El sonido de las palabras de Jordi le cosquilleaba el oído. ¿Para siempre? Ya estamos en las mismas, qué descreída. Y él se reía mostrando los dientes, pletóricos de salud en su brillo. Ya estamos en las mismas, Mundeta, con el eterno problema de los celos. Deberías estudiar esta noche, opinaba él.

Pues claro está, pequeña, otra vez, pues claro que me gusta estar contigo. Si no, no estaría, ¿no? Su cara enrojecía por la risa. Le daba un beso en la nuca. Qué bien me siento, soy feliz, ¿sabes? Era feliz como ella, que se derretía con sólo oírselo decir. La noche más larga de sus vidas, la más intensa. Bastaba con que se mirasen el uno al otro, que cada uno buscase el sol en los ojos del otro. Pero a ella le sobrevienen las dudas, eso lo dices siempre y no escoges a quién. Te confundes, pichón, eso no es cierto. Ponte de lado, así, ¿quieres que te pellizque? ¡Pero si todavía no he empezado! Y erre que erre, claro que te quiero. Te quiero. Mentiroso, casi en un suspiro. Él exhibiendo siempre su actitud de hombre que no necesita a nadie. A Mundeta le parecía que exageraba esta actitud cuando hacían el amor, en parte para disimular lo que era una evidencia.

¿Una evidencia? Los ojos de Jordi, a veces turbios, otras veces puros como el cristal. *S'y jeter à mourir tous les désespérés, tes yeux sont si profonds que j'y perds la mémoire.* Y nunca entendía dónde acababa el amor y dónde comenzaba el olvido. Se hacía la dura, yo podría estar con otro. De todas maneras, tú has dejado de estudiar por mí, ¿no? Y derramas muchas lágrimas cuando me dices que has salido con Nito. Nito, sigue diciendo Jordi con la voz fría, un verdadero sinvergüenza. Así, de lado, ¿te sientes bien? ¡Qué lentas son las palabras cuando se pronuncian en el silencio del amor! ¿El amor?, repetía ella. Sí, y hoy no te miento, musitaba Jordi. Mañana, ¿quién sabe? Mañana nadie sabe lo que nos va a pasar. El tiempo es el que dicta nuestras debilidades. Y venga reírse, ¡lo ves, Mundeta, cómo me salen brillantes las frases! Preciosa, lo repetía cada vez más animado, esta noche te quiero como no te querré jamás. Apóyate sobre mi hombro. No, la cabeza también. Sobre mi brazo, que si no acabarás con dolor de cuello. No me hagas decir si mañana todavía te amaré. No, Jordi no lo sabía, y todo lo que estaba pasando aquella noche parecía un presagio.

Le decía que la curva de su cuerpo era una figura de Botticelli. *La Primavera*. Mundeta suspiraba y él quería saber por qué. No, no se lo iba a decir. Era difícil elegir entre el placer y una desesperación que apenas nacía, que se perfilaba entre las sombras de felicidad. Y Mundeta habría querido gritar que sí, que sus suspiros eran de placer, y habría deseado que Jordi no se diera cuenta del miedo que la engullía. Habría deseado detener el tiempo. Y se reía, histérica, con objeto de alejar su temor. Ella pensaba, perderé la memoria en la profundidad de la mirada de Jordi, me derretiré en ella. Pero su risa crecía en sonoridad, era cada vez más estridente, más desencajada, más lacerante. Gritaba con fuerza para alejar un posible llanto. Jordi le bisbiseaba, cuando te ríes así pareces una pollita. De un momento a otro vas a poner el huevo. Ven, mujer, acércate más. Con el aliento de sus palabras le acariciaba el lóbulo de la oreja, yo, preciosa, soy el hombre más feliz de la tierra. La voz de él era también estridente. Pero tú, a veces, pareces un pájaro enjaulado que quiere huir y no sabe cómo hacerlo. Y Jordi, su imagen, perdía la nitidez de sus contornos bajo el fuego de la felicidad perceptible.

15 de diciembre de 1894

Hemos venido a París en viaje de boda. Papá decía que yendo a Montserrat ya cumplíamos, pero Francisco se animó y le dijo que habíamos de ser más originales que la gente de Barcelona y que una ventolera se da sólo una vez en la vida. Llegamos hace tres días y en la habitación del hotel hay una bañera para nosotros solos. Es de mármol rosa y los grifos son dorados y representan la cara de un amorcillo. Cuando me baño me imagino ser la Casta Susana y que me están observando por una mirilla.

No he cambiado de piel y tengo la misma cara. Veo que tengo un cuerpo joven, mis senos se me formaron ya a los trece años, y me gusta mirarme al espejo con la cabellera suelta. Me pongo los dos rubíes, rojos como la sangre, que me ha regalado Francisco. Parecen dos manchas sobre la blancura de mi piel. Soy hermosa, cuando entre en la sala de los espejos del Liceo del brazo de Francisco, todos preguntarán, ¿quién es esa señora tan hermosa? No quiero renunciar a nada en la vida. Y seré muy feliz junto a Francisco. Sin darme cuenta, me he convertido en la «felicidad», la «alegría», la «reina» de Francisco Ventura. Y el corazón me late con más fuerza cuando alguien me llama la «señora Ventura». Me veo bailando con él en una de las terrazas de Versalles, bajo el claro de luna y unos sauces llorones al fondo, entre gente muy joven y muy bella, con vestidos majestuosos y joyas rutilantes. Y sonrisas, y valses dulces, y champán francés, y lucecitas temblorosas de color azul, y sin ninguna pena dentro.

Yo nací para amarte a ti sola,
Ramona de mis amores,
Y te amo más de lo posible,
Y es un amor el mío, tan sensible
Que quiero vivir eternamente
Al lado de tus encantos seductores.

Tu adorador, Francisco.

No pasa día sin que me encuentre entre los pliegues de mi ropa, junto a los cubiertos de plata, entre los jabones de perfume de París, una muestra poética de su amor. Sus ternuras me hacen latir de prisa el corazón y sueño con escenas interminables de pasión, de amor, de felicidad. Cuando me besa, veo cómo se aleja la imagen de mi padre, que siempre me ha querido más que mi madre. Y las caricias de Francisco, sus manos que penetran entre mis cabellos y me los extienden por encima de las sábanas, son distintas de las caricias de mi padre, cuando me abrazaba las noches en que volvía del Liceo para que no tuviera miedo de los muertos. Y me sobreviene el presentimiento de que se ha ido una época buena de mi vida.

Había pasado mucho rato y ahora Mundeta acariciaba a Jordi maquinalmente. Veía entre sombras el rostro de Nito, y los ojos de Jordi, como también los del padre. Como tres máscaras alternándose, cada una con distinta mueca de burla. Pensó que le habría gustado saber por qué todos los hombres intensifican el esfuerzo de la pasión en las arrugas que rodean los labios. Tensión, pasión y relajamiento se suceden con pequeñas intermitencias. El rostro del macho envejece y quién sabe si el prematuro envejecimiento no es consecuencia de una súbita lejanía. Es como si se quisieran convencer el uno al otro, sin decírselo del todo, de que cada beso, cada caricia, cada acto de amor, representan la señal más concreta del adiós definitivo.

Esto es lo peor: ni la presión de los cuerpos cuando el deseo está saciado, ni el silencio que provoca la timidez, la ignorancia o el desconocimiento, producen tanto desconsuelo como el rostro avejentado que pone el amante –imagen refleja de la amada–, signo de una inalterable tristeza; a cada acto de amor, el hombre envejece sin remedio y es en su rostro senil donde se evidencia la irreductible diferenciación sexual.

¿Por qué el rostro del padre? Era el que adquiría más relieve cada vez que Mundeta aprendía a amar. Cuando con los ojos cerrados entreveía la mejilla, la oreja, los mechones de pelo, se alternaban en su imaginación los del amante y los de Joan Claret. El padre, que raramente adquiría ante los hijos una imagen concreta, tangible. Era el hombre fuerte de la familia, provisto de una voluntad envidiable, irónico, que menospreciaba los sentimentalismos y la infelicidad de su mujer. Mundeta apenas sabía nada de él. Recordó, no obstante, que una vez se lo encontró en un rincón del pasillo, con la mirada enturbiada y la voz ronca. Mundeta, le dijo, tu madre no quiere salir conmigo. Y los labios le temblaban, no sabía si de furia o de desolación. La madre seguía sentada, inmutable, con la fragilidad que la endurecía, al lado de la mesa camilla de la galería oscura. El padre le había dicho, vístete, que saldremos los dos juntos. Y ella se negó con la rabieta propia de un niño. En vano le sugería él los sitios atractivos. Ella se mantenía en sus trece y triunfaba. Mundeta, contra la pared del pasillo en penumbra, oía cómo su padre despotricaba, ya lo ves, no hay manera de vivir en paz con tu madre. Y encima tu abuela, que siempre la sigue de cerca. Me encuentro solo, hija. La voz de Joan Claret era ronca debido al alcohol y nunca más volvió a hablarle de aquella manera. Volvió a ser el hombre potente, inflexible, distanciado, en una familia formada casi del todo por mujeres. Y era durante los instantes intensos del amor cuando el rostro solitario y desolado de su padre, al fondo del pasillo, se reanimaba con más fuerza. Todos los amantes se le parecían.

No hacía aún una hora que Jordi le había dicho que ella era un pájaro enjaulado que trataba de huir y no sabía cómo hacerlo. Tenía razón: quería irse muy lejos. Pero no ignoraba que se echaría atrás una y otra vez, empujada por el oscuro destino de la cobardía. Deseaba con fuerza desaparecer de su mundo, quería dejar la ciudad, una ciudad cargada de niebla, grisácea, sucia, baja de techo, húmeda y macilenta. Abandonar a los suyos, una triste procesión de fracasados inconscientes, dejar las casas oscuras del Ensanche, las galerías que no tenían otro horizonte que las decrépitas fábricas del Ensanche, ni otro pedestal que los almacenes de algodón e hilados, olvidar la uniformidad de las calles, los malos olores de los patios interiores. Era la suya una ciudad cercada por todos lados por invisibles alambradas. Había que huir de ella. Quería contemplar el universo como un amplio abanico de posibilidades, igual que Jordi. Igual que Jordi, un desarraigado que no creía en el amor único, en el amor ideal que dura toda la vida. Igual que Jordi, hijo de exiliados, criado en México, que era capaz de amar a todas las mujeres, a todas las que se le ofrecían como compañeras en el espectáculo del amor. Poder cambiar y cambiar. Y gozar constantemente de ello. Abandonarse a la seducción de la libertad. No echar raíces en nadie ni en nada.

Era un futuro hermoso el que Jordi le proponía. Pero esta noche podía apasionarse por este programa de libertad y mañana sentir nostalgia de las horas bajas del otoño barcelonés, cuando de pequeña regresaba cansada del veraneo largo y monótono y la ciudad se le ofrecía despejada, diáfana, brillante. Cuando el ruido de los tranvías se convertía, en la soledad de las calles, en un tintineo continuado y adormecedor. Cuando la gente paseaba pacífica por el Paseo de Gracia o por la Rambla de Cataluña, por los bulevares, como decía la gente del Ensanche. Había llovido y de las hojas agonizantes de los plátanos caían gruesas gotas. Los balcones goteaban. Y se escuchaba el borboteo infatigable de las tuberías de desagüe. La ciudad daba cabezadas. Y su aire se llenaba de una frágil tempestad de geranios. Y ella miraba boquiabierta bajo la luz que había trepado por encima de los patios interiores. Era una luna estriada en un cielo de color naranja, entre las nubes que se deshilachaban tras la llovizna otoñal. A veces un aguacero empapaba el suelo y Barcelona se desperezaba con placidez. Y cuando Mundeta soñaba en la ciudad fatalmente desaparecida –o que jamás había existido– de su infancia, Jordi, si ella le transmitía la nostalgia, se reía de ella y le decía, Mundeta, tú cambias cada día y esto, aunque parezca lo contrario, es signo de decadencia. Nostálgica de mañana, aventurera de noche. Representas los papeles de cualquier mito del cine. Pasas de la felicidad a la tristeza, de la elegía a la exaltación, como si nada. Eres vieja y niña a la vez, nunca una mujer adulta. Eres dulce y blanda como la miel y adusta como una loba. Me gustaría saber cómo son las mujercitas de tu «extraordinaria» familia.

Mundeta besó a Jordi en la mejilla. Él dormía boca abajo. Pensó en las mujeres de su familia y quiso imaginárselas en una vida distinta. Las veía entre sombras, en imágenes nebulosas cada vez más densas, más pesadas. Los párpados le pesaban y se durmió.

17 de diciembre de 1894

Dicen que en París hay las mujeres más hermosas de la tierra. Y me entristece sólo pensar que me iré de esta ciudad, voluble y apasionada, sin haberla conocido de verdad. Habré pasado por ella como de visita, de soslayo. Ni las callejuelas negras y sinuosas que vislumbro desde el coche de punto, unas callejuelas sombrías y siniestras pero que me excitan el corazón, ni las mujeres que pasean solas sobre la nieve, ufanas de sus pecados, ni los artistas, ni los poetas de la bohemia romántica, no dejarán de mí más huella que un vago aliento de nostalgia. A veces pienso que yo ya estuve antes en París, y que he bailado miles de valses con hombres diferentes, aristócratas europeos que me han amado con locura y pasión. Pero otras veces me parece oír rumores de voces que me dicen al oído, no, Mundeta, no, esto no es para ti, vete, vuelve a tu casa. No respiro la alegría de París, la alegría de vivir abierta y anhelante que sólo poseen quienes saborean la libertad, el exotismo de otros países. No sé cazar al vuelo –tal como dicen las novelas románticas– ninguna mirada de *volupté*, ninguna vista turbada, ninguna locura compartida, ninguna sonrisa incitadora. Nada de la *ivresse* del amor. Los señores que pasean por las Tullerías, entre la niebla gris y el frío del invierno, tienen la misma cara de satisfacción que los señores barceloneses cuando bajan por el Paseo de Gracia. Y como que sospecho que éste será el viaje de mi vida

–¿qué otra ocasión de viajar puede tener una mujer como yo?–, quisiera no dejar escapar ninguna de las hojas amarillentas del Bois de Boulogne, ningún árbol del de Vincennes, ningún rayo de los faroles de Pigalle cubiertos por la nieve, ninguna gota helada del Sena, ningún adoquín de las calzadas de Montmartre. Me gustaría revivir los secretos de las casas, husmear los desenfrenos que se debe de permitir una ciudad que es nocturna hasta de día.

Francisco sólo anhela ir al Louvre a ver las momias y dice que el cementerio de los perros es una prueba de la ternura de los franceses para con los animales. A Francisco le gustan mucho los animales y las flores, pero encuentra que la anchura de los Campos Elíseos o de la avenida del Bois de Boulogne es exagerada. Y yo me muero por pasear por esas avenidas. Me muero por ello, y sin embargo ni los jardines, ni los parques, ni los estanques, ni los arcos de triunfo, ni los salones de Versalles, ni la majestad del Louvre, ni los cabarets celestiales o infernales, ni la coquetería del cementerio de los perros, ni la bañera de mármol rosa me harán olvidar mi ciudad. Y cuando lo pienso, París me parece tan mezquina y provinciana como Barcelona, con la diferencia de que no es mía en absoluto.

Parece mentira, me he pasado la vida aburrida en aquel reducto de Gracia, suspirando, los días lluviosos y de cielo cubierto, por conocer mundos diferentes y exóticos y, cuando emprendo el primer paso, siento nostalgia. Soy tonta. Para postres, los versos de Francisco, en castellano, aún me hacen sentir más extranjera.

La madre llegó excitada, nerviosa, repetía tan sólo, ay, Señor, con tal que no derramen sangre. Mundeta –la madre sospechaba que no se casaría nunca– no la escuchaba. Ahora ya había llegado, no debería ir sola al Núria. Le gustaba con delirio el chocolate del Núria. Un chocolate de fragancia joven, recién hecho. Aquella tarde no se lo dejaría perder por nada del mundo. Mojaría en él *melindros*, uno tras otro, mientras contemplaría a la gente que pasea por delante. Desde la calle Baja de San Pedro, donde estaba la Cultura de la Dona –taquigrafía, bordado, ortografía, costura–, la madre y la hija fueron atajando por varias calles hasta llegar al Núria. La madre tenía la cara encendida de andar tan de prisa, estaba muy excitada y aún no había dicho una sola palabra inteligible. Por el camino se toparon con muchos grupos. Se oían gritos, voces de todas clases. Se veía alguna bandera. Llegaba tarde porque se había quedado en casa con Pepita, la modista, para escuchar las noticias de la radio. En el Núria, cada tarde, oían, lejanos, sentimentales, lánguidamente exóticos, los tangos de los argentinos Irusta, Fugassot y Demare, tocados por un terceto femenino: piano, violín y violoncelo. Se decía que la gente los llamaba «Tros de Fusta, Fugassot i Sa mare» (1), y Kati se daba

(1) «Trozo de Madera, Fugassot y Su madre.» *(N. del T.)*

unos hartones de reír, mientras que la madre advertía a Mundeta al oído que las señoritas no dicen tales cosas. Porque una señorita no ha de tener sentido del humor, ya que si no, qué pensaría la gente. Las palabras han de ser admitidas en una sola perspectiva, lisas, sin una sola grieta. Pepita ha venido de Montjuïc y dice que por allí no se podía pasear, de tanta gente como corría. Los autos parecían volar por encima de la muchedumbre, hacían un ruido increíble. Mientras cruzaban la calle de Claris en dirección a la Rambla, Mundeta notó que de la plaza Urquinaona bajaba un alud de voces roncas que espantaba a las palomas. La madre voceaba nerviosamente y pasaban camiones llenos de trabajadores que gritaban no sé qué de Cambó y no sé qué de Macià. ¿Qué dicen, mamá? Pero las voces se perdían en el griterío. A Mundeta la conmovían los tangos, sobre todo las historias tiernas de amor que tenían un final triste. O como *la cieguita*, la chiquita de ojos grandes y vacíos que escuchaba el griterío de otras niñas al saltar y que amargamente preguntaba a la viejita, ¿por qué yo no he de jugar?, que parecía una página vivida de Folch i Torres. O los que tenían una pena por contar, como *Esta noche me emborracho* o *La cumparsita*. Cuanto más amargas eran las historias, más gustaban a Mundeta. Y sobre todo que tuviesen un principio y un fin, como la vida. Los camiones pasaban veloces y hacían temblar el pavimento. Allá lejos cantaban el himno de Riego y *Els Segadors*. Mamá, podríamos ir al Núria en seguida y, mientras nos tomamos el chocolate con *melin-*

dros me lo expli. La madre no la escuchaba, caminaba cada vez más de prisa, con la cara enrojecida a causa de la carrera. Repetía con acaloramiento, ay, Mundeta, que me lo veía venir. Todos lo decían, es un hecho consumado, esto cambia. No podía terminar de otra manera. Mundeta, mamá, estás nerviosa, párate un poco, dime, ¿de qué tienes miedo? ¿Miedo, dices?, replicaba la madre. ¡Lo que tengo es pánico! ¿Pánico?, ¿pánico de qué? Tendríamos que ir a hablar con *mossèn* Pere, Mundeta, él nos aclarará la situación. Y el chocolate, mamá, pero la madre no la escuchaba, criatura, ¡qué poco seso tienes! ¿Que no ves lo que está pasando? Mamá, Mundeta apenas alcanzaba a seguir los pasos de la madre, me pones nerviosa, explícamelo de una vez, párate, no corras tanto. Pero, hija, ¡la República, han proclamado la República!

10 de enero de 1898

No me gustan las tareas de la casa, no me aclaro. Y desde que me peleé con mamá por la cuestión de la herencia de papá, no salgo del atolladero. Antes ella venía dos veces por semana para dar una ojeada y debo reconocer que tenía gusto. En Gracia no hay nadie que tenga. No sé cómo colocar los muebles y los cuadros y me paso el día cambiándolos de sitio y de habitación. Tampoco puedo fiarme de las revistas porque me llegan con retraso. Todo sería distinto si viviéramos en Barcelona, pero aquí, ¡enclaustrada en este pozo de murmuraciones y de vulgaridad! Desde que dicen que Gracia ya es Barcelona me esfuerzo por escuchar las campanas de la ciudad, para oler el viento que viene de levante y me trae recuerdos del mar que no veo o del trajín de la gente que trabaja por allí abajo.

Pero yo que nunca salgo de casa... El lunes, lavar la ropa, el martes recibir visitas y escribir cartas, el jueves, *escudella i carn d'olla*, el sábado, limpieza a fondo, y, los días restantes, sacar el polvo que se filtra por las rendijas de los postigos, arreglar cajones, planchar la ropa blanca, cepillar con amoníaco las alfombras, almidonar las gasas de las cortinas, cuidar las plantas del balcón y las palmeras de Francisco; y los cubiertos de plata, que deberían relucir y jamás lo hacen. Por mucho que los friegue con tierra, en seguida se vuelven negros. Me obsesionan como la cristalería, que no reluce ni que le eche todo el vinagre del mundo. No me gusta limpiar la casa.

Y para que los cubiertos reluzcan como si fueran los de palacio, tengo que fregarlos yo. No me fío del servicio. En Gracia es muy difícil encontrar a una criada limpia y que no te engañe cuando la obligas a ir a misa. A las que son limpias y religiosas, les falta llevar sombrero e ir al teatro. Ayer me disgusté mucho, sobre todo al ver que Francisco elude estos tragos y me deja sola. Tuve que despedir a la cocinera, a pesar de que hacía un excelente bacalao *a la llauna*. Francisco decía que el aderezo que ponía daba un gusto distinto de la del Continental.

Empezó comprándose ropa buena, hasta que un día llegó con unas medias de seda. Me las enseñaba con orgullo, sabiendo que yo sólo tengo un par. Cuando la reprendí, con buenos modos, la raspa me replicaba como si yo fuera una cualquiera. Le dije que qué se había creído, que ya se podía ir de casa. Hacía días que yo estaba intrigada de ver los humos que gastaba y el montón de ropa fina, de señora, que vestía. Y sospeché que me sisaba. Cuando la obligué a enseñarme las maletas, antes de irse, desenvolvía cada paquete con lentitud y me los ponía bajo la nariz. Descarada. Hay que mantenerlos a raya a esos angelitos de fregadero.

Ahora me buscaré una de confianza, de algún asilo o huérfana, pero me temo que yo tendré que limpiar toda la vida los cubiertos y la cristalería. Cuanto más tontaina, mejor. Aunque en seguida aprenden las malas costumbres. A Pauleta Forns le ocurrió algo muy sonado. Tenía una criada muy ordenada y limpia, que iba a misa y hasta al rosario. Una mañana, al ver que la mujer no se levantaba, Pauleta fue a despertarla. Se la encontró amarilla como la púrpura. La sacudió, la meneó, le dio unos cuantos golpes. La raspa, muda más que muda. Parecía que le hubiesen chupado la sangre del cuerpo. Pauleta se asustó y llamó al médico de cabecera. Resultó que la camarera había tenido aquella misma noche un niño y lo había ahogado y tirado al wáter. Después de hacerle un montón de preguntas, acabó por confesar entre llantos y gemidos. Se la miraron bien y aún encontraron restos. Pauleta no se ha rehecho del disgusto, ha estado enferma una buena temporada. Y es que las tienes en casa, conviven con la familia, les das ropa y comida de balde y no sabes nada de su vida.

Francisco me dijo que quería una cocinera que supiese hacer el bacalao *a la llauna* con un buen aderezo. Yo me enfadé con él y le dije que sólo se preocupaba del bacalao *a la llauna* y de las palmeras de la galería. Entonces vino tras de mí con mimos. Y hoy me ha dedicado otro verso. Pero sus florilegios líricos empiezan a resultarme pesados. Hay un abismo entre lo que me escribe y lo que me da. Cuando me abraza y espero no sé cuántas cosas más, sus manos se ponen a temblar y se detienen. Entonces se rasca el cogote, como si nada. O se retuerce el bigote. Y yo me veo como la Casta Susana del grabado que hay en la alcoba.

–Despiértate, nena, si quieres saber la noticia del día: han cerrado la Universidad de Madrid.

–No me llames nena. ¡Cierra la puerta, imbécil! ¡Eh!, mira si han llegado los diarios.

–Oye, guapa... Si no puedes mandar no estás contenta.

Primero Mundeta sacó un brazo y luego, una vez comprobada la temperatura ambiental, sacó el otro. Le parecía que sólo había dormido unos minutos desde que Jordi, a las siete, la había dejado en casa. Sentía la típica acidez en la garganta, y la lengua, entumecida y reseca, que le llenaba la boca. Quería volver a dormir y notaba que el peso del cuerpo se la llevaba de nuevo.

—¿Qué hora es? —gritó a su hermana que entraba en la habitación.

—Deben ser las diez, ¡so gandula!

Las diez y hacía tres días que no se concentraba en el estudio. Las diez, ya no le quedaría tiempo para ir a buscar los apuntes que se había dejado en casa de Anna. Vaya pereza levantarse. Estiró las piernas y sintió una tensión agradable. Las dejó ir de uno a otro lado. La garganta pegajosa, sólida, como regaliz, como las pastillas Juanola, te acuerdas, en el colegio, que las escondías bajo las faldas, entre las rodillas, para que la «madre» no las viera. Notaba su propio aliento, pese a que no había bebido, la noche antes, ni dos ginebras. Jordi, cuando bebes eres deliciosa.

—Toma el periódico, *bwana*.

Gèlia le tiró el *correo* mientras le estiraba la colcha hacia abajo. Medio cuerpo de Mundeta quedó al descubierto. Dormía desnuda desde que, en Inglaterra, había visto que las inglesas lo hacían. Pero se cubrió los pechos; el maldito pudor que la dominaba. Encendió un cigarrillo.

—Las hermanas sólo estáis hechas para fastidiar.

—¡Mira qué bonito! Aún gracias que por la mañana, la madrugada para ti, te traigo las noticias. Y te has quedado completamente indiferente cuando te he dicho lo que ha pasado en Madrid.

–¿Qué de Madrid?

–Que han cerrado la Universidad.

–Ya te había oído.

–¿Y qué?

–Ya me lo esperaba.

Mentía. Era él, Jordi, quien se lo esperaba. El día anterior, durante una larguísima y desordenada discusión con Enric, su rival político, había salido el tema de los posibles cierres de las universidades españolas. O por lo menos de las más importantes.

–¡Venga ya, repelente! Siempre adivinas las cosas antes de que ocurran. Tengo ganas de entrar en la Universidad para ser la más lista de la casa.

–Hale, vete de mi cuarto si no quieres que me levante y te dé una...

–¡Vete a la mierda! ¡Le diré a mamá que esta noche tampoco has dormido en casa!

Un portazo y Gèlia ya estaba fuera. Fumaba poco a poco. El cenicero caía un poco lejos y Mundeta tiraba la ceniza en el suelo. La madre, como que no eres tú quien hace la limpieza. Las criadas, ya se sabe, no se preocupan, y todo el santo día estoy ajetreada para que la casa esté limpia, decente. Pero la abuela, que no es tan tonta, dice que las mujeres decentes lo son porque no pueden ser otra cosa. Esto de Madrid seguramente va a provocar el aplazamiento de los exámenes. De repente me animo, llamaré a Jordi a ver si quiere dar una vuelta y..., no, no, que he pasado la noche con él y he quedado bastante empachada. Venga, no te engañes, Mundeta. Sabes que no quieres exponerte a que te diga que no. Sabes que te gustaría ser como Telele, que consigue lo que quiere a base de ardides de hembra y marrullerías. Como calla siempre, como sabe escuchar al macho, la Telele... Pobre infeliz, piensas que con Jordi estás perdiendo el tiempo. Que no vale la pena, que es mejor dar el primer paso. Mentirosa, no lo vas a dar nunca. No ignoras que Jordi te inicia, te imparte el aprendizaje en la difícil tarea de la política universitaria. Y quién sabe, tal vez tú no eres más que materia novelística. Algún día saldrás en alguna novela de un tal Jordi Soteras. A dónde habrá ido a parar, pensarás. Era un chaval con ínfulas de hombre de letras a quien hube de enseñar cómo se hace eso del amor. Y volverás a mentir, porque los dos no sois más que unos cachorros que probáis, ingenuamente, la perversión. Tal vez lo que más me gusta de Jordi es que me indique el camino, que me conduzca. Una manera muy digna de ser anulada. «Dignidad», he aquí una palabra propia de mi padre, como «fe» y como «familia honorable», y como... Papá, que bendice la mesa pero que no ha ido ningún domingo a misa. Que cuando está en casa se encierra en su despacho y no quiere ni vernos. Papá, con sus oscuros negocios que no conoce nadie de la familia, ni mamá. Papá, que hace unos viajes al año a Hamburgo y a Amsterdam y regresa ojeroso y de un humor pésimo. Papá, el hombre impenetrable, el rostro misterioso. Vamos, Mundeta, incluso estando sola haces literatura, y de la más barata. Menos mal que Jordi no me está oyendo, porque si no diría... Eres una sentimental, Mundeta, cuando te veo venir ya pagas con la sola cara. Adivino en seguida el trauma de turno. Con tu nerviosismo y el eterno estribillo del ay, Jordi, no sirvo para nada. No acabo de comprenderte, chica, me cansan los diálogos gratuitos, transcendentales, como si cada quién fuera decisivo, fundamental para salvar la existencia de la entera humanidad. De tus complejos malditos, sin embargo, no se escapa ninguna mujer, los miedos, las aprensiones, los sobresaltos en las madrugadas, las preguntas a medio formular durante la noche. Vamos, Mundeta, hermosa, no me hagas remilgos. Sabes mejor que nadie que terminarás casadita y rodeada de hijos. Niños rubios, bonitos, con el pelo largo, bien estirado. Tal vez no tendrás criada, a pesar de que desde que soy madre no paro, ¡lo que son las cosas!, y seguramente llevarás a tus hijos a una escuela de esas en que los enseñan a vivir, a vivir de verdad, no vayas a creerte. Esos pequeñajos, hijos de letrados o de liberalotes cosmopolitas, verán el mundo a través de un boquete, y se les antojará un juego inmenso pero al alcance de la mano, un juego para ellos solitos. Claro que habrán mamado eslóganes ajustados, anticonvencionales. Y les dirán que el mundo, como los juguetes, es algo que debe compartirse. Pero también eso será divertido. Y escucharán la *Novena sinfonía* de Beethoven como quien se cepilla diariamente la chaqueta o recoge el periódico de debajo de la puerta. Y compararán Vivaldi con Corelli, o

Tommaso Albinoni, e incluso hablarán con displicencia de un tal C. F. M. Bach, el de Berlín. Y tú, como loca, buscarás la ocasión para contarlo a tus amigas, que, reunidas para escuchar a la chilena que canta aquello de quisiera, quisiera tener un hijo guerrillero, se desharán en alabanzas ante tu fabulosa suerte, la suerte de tener dinero y de andar satisfecha por la vida. Vaya humos tendrán esas envidiosas mujerzuelas de la mierda. Juntas suspiraréis agradecidas por vuestro físico grácil, sano, esbelto, deportivo. Vestiréis despreocupadas, *comme il faut*, *hippies* de Liceo y ¿por qué no? preguntaréis, ocultando un destello de resentimiento hacia el marido-amigo-amante con la mirada de madrecita clueca inexperta, mitad perversa y mitad hija de María. Y mientras darás un repaso al último ensayo sobre el Proust que nunca has leído, no recordarás todo lo que querías ser de pequeña –me lo has confesado más de una vez en tus innumerables confidencias–, mientras mirabas la imagen de la Virgen, encima de un altar con estrellitas plateadas y rodeada de lirios. Periodista-ingeniera-escritora-doctora-santa. Sonreirás, al recordarlo, con cierto escepticismo, propio de quienes pisan fuerte, un escepticismo de mujer experimentada porque toca serlo. Y mirarás a los jóvenes que te buscan con el gesto indefectiblemente sardónico de los impotentes... ¿Quieres que te cuente más cosas, quieres saber cómo acabarás? Mira, dejémoslo correr, me das mucha lástima, lo paso mal por ti, ¿sabes? Te pareces demasiado a mí. Me veo reflejado, como en un espejo, en tus actos, en tus palabras, en tus ademanes. Yo racionalizo lo que tú me muestras en la epidermis, sin ninguna inhibición. Eres un excelente personaje de novela: contradictoria, snob, ambigua. Tú, como yo, formas parte de los restos de un mundo que no se acaba de descomponer. Pero tú eres menos corrosiva: tu clase es una clase más «auténtica». Nos lo han hecho creer: nosotros somos los bellos, los jóvenes, los inteligentes. Tenemos el mundo al alcance de la mano. Podemos elegir nuestro futuro. Y no nos damos cuenta de que somos unos miserables títeres, aunque exquisitos y refinados. Servimos de adorno y basta. Y tu familia, llena de Madames Bovarys de escasa imaginación, de Pilars Prims angustiadas, de Regentas domésticas, es un arsenal literario de primera. Una familia, limpia, ordenada y pulida. Con un pasado tan poco nebuloso. Con una diafanidad de posguerra modélica. Todos empeñados en ocultaros los trapos sucios, las pasiones. Que envolvéis el sadismo con cortesía y educación. Qué rabia le daba a Mundeta cuando él le decía cosas así. Lo habría arañado, le habría hecho daño si hubiera podido, cuando él adoptaba la pose de hombre superior, de hombre que sabe que pierde el tiempo con una tontaina del Ensanche, como decía él. Una tontaina dispuesta, a pesar del *entourage*, a aceptar el mundo tal como venía, tal como se lo habían enseñado los suyos. Suerte tienes de Jordi, le repetía él. Mundeta hubiera deseado averiguar por qué el amor que sentía por Jordi era resentimiento y admiración a la vez. Él, que gozaba agrediéndola de palabra, era uno de los que practicaban en la Universidad, con más ingenio y obstinación, la crueldad verbal. Pero bajo la afluencia de palabras duras, despectivas, tajantes, Jordi ocultaba, por timidez o inseguridad, un insobornable deseo de lucha. Tal vez en él la crueldad verbal no era más que una pantalla para protegerse de otros instintos más destructivos, más primarios. Mundeta pensó que en la Universidad no había nadie que no se entregara al juego de la crueldad verbal. Cada uno acusaba a todos los demás de lo que, íntimamente, hacía sufrir más al acusador: de las represiones, de los silencios del sexo mal compartido.

16 de julio de 1898

Me aburro mucho. El tiempo pasa lentamente, los geranios del balcón mueren en invierno y florecen en primavera, y así año tras año. En casa hay mal ambiente. Francisco no vive por culpa de la guerra de las colonias. Esta temporada casi no hemos ido al Liceo, ni a cenar al Suizo ni al Continental. Tampoco ha querido volver al Edén Concert a hacer el resopón después de la ópera, porque dice que allí van los señores de Barcelona con sus queridas, y que qué pasaría si en Gracia se enteraban.

Todo el día se lo pasa en la Bolsa o con unos señores, prestamistas como él, en el salón de estilo. En el salón de estilo pasan muchas horas, a veces hasta que es noche cerrada. Gritan mucho, se excitan, y los gritos llegan hasta la galería. Cuando entro a servirles el té con galletas noto que Francisco está nervioso, que le han reprochado algo y que él no se atreve a plantar cara. Me parece que los otros prestamistas le dominan. Francisco no me quiere contar cómo van las cosas, dice que no las entendería. Yo procuro escucharles, les oigo repetir las mismas palabras, que si los del Banco Hispano-Colonial retiran los créditos, que si eso de la Bolsa se acaba, que si el dinero catalán no es de provecho para nadie y, menos que a nadie, a los catalanes, honrados y trabajadores. Me parece que no sacan nada en limpio. Unos dicen que hay que dar en la cresta a los rebeldes y los otros opinan que la culpa la tiene Martínez Campos, que es un infeliz, y que es necesaria la mano dura, como la del general Weyler. Cuando Francisco quiere hablar, nadie le hace caso.

En la calle se respira un ambiente pesado. La gente camina de prisa. De vez en cuando se oye a grupos cantar:

Porque esa turba enemiga
que sólo el dinero acosa
no tiene ni amante esposa
ni madre que los bendiga.

Yo, mientras tanto, friego una y otra vez los cubiertos de plata en el comedor. Debo de tener un rey en el cuerpo, como dice Francisco, pero a veces sueño en aquellas islas y pienso que yo también iré algún día. Me invade una ternura insólita hacia los negros que viven en cabañas de bambú, amados por los animales y alimentados de frutos tropicales. Y me agarra una jaqueca, me pongo triste y alegre sin saber cómo ni por qué. Sueño en el amor ideal, puro, como el de los dos amorcitos de mármol blanco y pelo ensortijado que tengo en el recibidor. Con el dedo marco su nariz y sus pequeñas manos rollizas. Los dos amorcitos se abrazan porque se aman. Y miro a la calle. Siempre lo mismo, la calle Mayor de Gracia, grisácea, con la gente que camina por ella o se detiene a charlar con uno o con otro, siempre la misma, mezquina y estrecha, y sueño en un paraíso desconocido, enorme, que da vueltas dentro de mi cerebro. Envidio a la pobre gente que se va a las islas.

Mundeta se levantó de la cama y puso a la vez sus dos pies en el suelo. Conservaba aquella ingenua superstición, tonta si se quiere, desde que tenía memoria. Era una manera como otra de buscar suerte. Creía mentalmente en estos tipos de fe, como en la astrología y en las costumbres más atávicas, pero no se atrevía a confesarlo a nadie. Se lavó los dientes dos veces: la primera sin agua, con el cepillo seco. Mamá, hoy han explicado en la tele una manera muy rápida, limpia y eficaz de lavarse los dientes. Os lo recomiendo, me gustaría que lo hicierais todos mis hijos, los reyes de la casa nos decía cuando éramos pequeños, la Sílvia, el Nasi, la Gèlia y yo, los dictadorzuelos de la casa de los señores Claret. Os quiero con los dientes muy blancos, brillantes. ¡Imaginaos cuánto luciréis en las fiestas de vuestros amiguitos, en las meriendas de chocolate, en las visitas, en las primeras comuniones, las alegres fiestas de los payasos y los títeres! Dirán: ahora llega la familia Claret, los papás, la abuela y los cuatro niños. Nasi se esconderá en un rincón y, si nadie le ve, leerá el último número de *El guerrero del antifaz*, y Gèlia, la dulce Gèlia, cantará la canción «Com que sóc tan petiteta...». Dulce Gèlia. La familia Claret, la de la sonrisa transparente, porque se lava los dientes como se debe. Y llevaréis, dice mamá, vuestros calcetines de perlé, la Gèlia siempre caídos, porque es pequeña y agujerea todos los zapatos ingleses y los jerseys de lana moher, tan difífil de tejer y tan cara, y unos botoncitos de nácar, casi invisibles, redondos y pequeñitos, y los vestidos de azul eléctrico con los cuellos de punta, o de piqué si hace buen tiempo, y Nasi con sus pantalones de golf y la americana de pata de gallo, que le está ancha. Y una vez os hayáis lavado los dientes con el cepillo seco, podéis mojarlo moviéndolo de abajo arriba, de izquierda a derecha. Te miras al espejo. Aún tienes acné en tu frente, Mundeta, ni que fueras una adolescente de trece años. Y una pelusilla muy molesta, que Jordi besa porque le parece, dice, la piel de un conejo joven. Gèlia, que quiero entrar, que siempre lo ocupas tú el lavabo, que te estás ahí dentro horas y horas, ni que fueras una puta, nena. No me llames nena, imbécil, algún día te parto la jeta. Ahí tenéis a la universitaria. Impertinente. Asquerosa. Si no me dejas entrar diré a mamá que esta noche tampoco has dormido en casa; te doy cinco minutos. Hay que ver lo latosa que eres. Las hermanas, piensa, son como una expiación familiar. Anna no tiene hermanas: ha nacido con la flor en el culo. Hija única y con un padre progre, de esos que no joroban. En unas condiciones así, yo también me largaría de casa. Y Nasi lejos, en el Brasil, sin poderle contar nada.

Las tostadas no muy hechas, mamá. ¡Mantequilla otra vez! Nunca tenéis miel, ¡carajo! Niña, no seas malhablada. Estoy harta de desayunar todos los días lo mismo. La tonta. Cállate, Gèlia, no te metas. Sí, mamá, ya lo he leído en el periódico, bueno, no, quiero decir que la estúpida de Gèlia... Niña, no seas malhablada. Me ha dicho que han cerrado la Universidad de Madrid. Tengo miedo por ti, no vayas a liarte, Mundeta. Más valdría que tuvieras miedo por otras cosas. Hoy has vuelto a venir muy tarde. Que no, que no... Sí, a las siete. Gèlia, métete la lengua donde te quepa. Niña, no seas malhablada.

Habían proclamado la República y ahora todo el mundo decía que se veía venir. No encontraron a mosén Pere, el confesor amigo de la familia. El vicario les dijo a las dos Mundetas que se había ido a las nueve y que aún no había regresado. La madre se calmó y dijo vamos al Núria. Mundeta estaba cansada, deseaba el chocolate con *melindros*, espeso, consistente, como si fuese sólido, un líquido espeso y calentito. Mojaría en él, lentamente, cada *melindro*, abriría en él un pequeño círculo y los círculos se ensancharían, concéntricos, se hundiría la pasta en su interior como si fuera ella misma, sorbería el chocolate hasta el final.

Llegaron al Núria y el terceto femenino no estaba allí. La Rambla estaba abarrotada de gente y desde el Núria se podía escuchar una algarabía contenida. Estaba Patrícia, nerviosa, asustadiza como un pájaro sin alas. Tía Sixta, que se mordisqueaba con ansiedad los guantes. Tía Sixta se hacía la refinada, pero tenía muy poco gusto para vestir. Hoy mismo, con afectada displicencia, lucía una especie de abrigo de terciopelo azul que la madre de Mundeta habría desdeñado incluso para ir al Glacier. Kati se mofaba de ella en sus propias narices, no disimulaba. Kati, *savante* como nadie, amiga de extranjeros de toda clase, siendo sus predilectos los franceses, decía siempre «que vivía al día». Le divertía criticar el tipo de gente que entraba en el Núria, y Mundeta Ventura era su reclamo. Que si un fulano que entraba no era más que un remedo de Ronald Colman, pobrecito, y lo enclenque que resultaba, que si el otro llevaba un bigotito achaparrado, cuatro pelos y no más, que si aquella mujercita que salía llevaba una toca de satín del año catapún. Qué pesada es la Kati, con su pose de mitad *cocotte* y mitad madre abadesa. Repetía la palabra *chic* cada dos por tres y miraba a Mundeta socarronamente. Las demás mujeres hablaban mal de Kati, pero la invitaban a sus meriendas y a sus fiestas porque estaba al corriente del *monde*. Todo Valldoreix criticaba que frecuentase sola el Casino de Sant Cugat y, más aún, sus descaradas tendencias hacia el otro sexo. La única que con ella mantenía una cierta intimidad, aunque superficial, era la madre de Mundeta; a las dos les gustaba leer e intercambiaban libros, preferentemente de poesía romántica o biografías de reinas. Pero todas abrigaban una secreta envidia hacia Kati. Eso de *vivre sa vie*, de ser *indépendante*, las reconcomía. Tenía treinta años, era soltera y vivía sola. Organizaba *parties* en Valldoreix de lo más inocentes, pero la leyenda los había realzado de tono y de categoría. Las cejas depiladas de Kati, unas cejas inexistentes, le habían hecho mucha gracia a Mundeta en otros días más tranquilos. Encima, Kati se pintaba una raya finísima y burda que le exasperaba el rostro.

Mundeta veía el chocolate delante de ella. Aún parecía hervir, con un barboteo que hacía chup-chup. Patrícia, con su copita de Aromas de Montserrat, y tía Sixta con su mosto Arnateu refunfuñaban, gritaban, hablaban sin parar, sin tomar aliento. Patrícia sufría por Esteve, que había ido a la plaza de San Jaime, mientras Kati se burlaba. Hacía bromas de mal gusto, bromas que Patrícia no entendía. Mundeta hacía girar el *melindro*, primero a la derecha, luego a la izquierda. El *melindro* quedaba totalmente empapado de líquido, goteaba un poco, ella recogía las gotitas, pequeñas, que se deslizaban por su lengua. Oía cómo su madre decía lo de siempre, que si no había querido ir sola al Núria, que si no la casaría nunca. Kati, la encuentro demasiado ingenua, infantil, qué quieres que te diga, tienes que despabilarla. Eso, ha de despabilarse, añadía tía Sixta bebiéndose de un tirón el mosto Arnateu. Y cogía la punta de una servilleta de té y se secaba suavemente, repasándolas, las comisuras de los labios. A ambos lados de la boca le quedaban sendas manchas sonrosadas. Debo despabilarme, debo despabilarme, y el chocolate se le deslizaba por la garganta hacia abajo, suave, le daba un calorcillo en el pecho y bajaba bajaba hasta producirle un cosquilleo en las piernas. Y la madre, no hace falta que me digáis nada, no sabéis cómo me hace andar de cabeza, tan poquita cosa, tan retraída. Tiene suerte de tenerte a ti, opinaba tía Sixta, con los guantes húmedos. Tienes veintidós años, *chérie*, ¿acaso no te gustan los muchachos? Callad, ahora es contraproducente, decía Patrícia. Y el chocolate, el chocolate, la fragancia del chocolate que se disipaba. Tendría que pedir otra taza, que tengo que despabilarme.

La conversación se desviaba, por fin me dejarán tranquila, al chocolate y a mí. Decían que la Plaza de San Jaime estaba abarrotada. Y Patrícia, que me lo matarán a Esteve, es un impulsivo. Yo tengo a mi hombre muy deprimido, decía tía Sixta, ya sabéis que es de la Unión Patriótica, tiene miedo, opina que todo esto va a acabar como el rosario de la aurora, que por lo menos con Primo de Rivera. No sé, decía vacilante la madre de Mundeta, presiento que los cambios serán para mejor. Creo que vendrán tiempos más afortunados. Yo también, decía Kati.

Mundeta no entendía por qué su madre se había puesto nerviosa, por qué había tenido pánico una hora antes. Su madre cambiaba de idea muy a menudo, se apasionaba por la gente y la quería hasta morir, pero al día siguiente era capaz de olvidar a quien fuera. Se contradecía, pasaba de la tristeza a la alegría, del miedo a la valentía en un abrir y cerrar de ojos. A veces paseaban por la Rambla –desde que había muerto su padre no había querido volver al Paseo de Gracia– y le cogía una languidez extraña, estoy melancólica, decía, me duele el corazón, y la cara se le ponía blanca como la nieve. Había momentos en que tenía presentimientos terribles y se abandonaba durante una tarde entera. Adjetivos como «evanescente», «sutil», «lánguido», términos como «amor» y «fortuna» eran sus palabras predilectas. Se apuntaba los versos que más le gustaban en un carnet de notas y nunca los abandonaba. Hablaba del paisaje de Siurana, áspero y tempestuoso, en tonos lúgubres y contaba sus leyendas más tristes. Eran leyendas de amor. Si iban al cine y la película la emocionaba, sobre todo *Amanecer* o *El Caíd*, suspiraba sin parar. Pero Mundeta nunca la había visto llorar. Su paseo preferido era el Parque de la Ciudadela, sobre todo en otoño, cuando Barcelona se ponía gris por la lluvia y las hojas alfombraban el parque. Buscaba los lugares más solitarios y pasaba allí largos ratos, sentada en un banco entre las brumas del atardecer. Mundeta la seguía cuando se quedaba inmóvil, absorta, en la isla de los nenúfares o delante de la cascada. Y contaba que antes la gente de Barcelona iba a las grutas de la cascada y se despeñaban desde allí para suicidarse. Y que por esto habían colocado rejas. Pero Mundeta no la escuchaba porque en el parque hacía mucho frío y la piel de la cara se le cortaba en escamas.

No quitaba el ojo de la calle y oía la conversación, hoy más animada, de las señoras. El chocolate estaba espeso y los *melindros* se hundían en él con placer. Hoy, en la merienda del Núria nadie hablaba de cómo hacer los filetes de merluza a la condal, ni del *miroir* de casa Baltà, ni del último chiste de Toresky, ni se desgranaba la retahíla de frases hechas, nada de qué quieres que te diga, tal como van hoy las cosas no me fío de nadie, nada de a los hombres hay que tenerlos a raya, nada de mujercitas-víctimas de maridos bárbaros y sinvergüenzas, nada de qué bien nos entendemos las mujeres entre nosotras, ¿verdad?, nada de las criadas cada día con más ínfulas de señoras, nada de en los Jesuitas hay un confesor nuevo que habla de una manera emocionante, que ha entendido el alma femenina. Mundeta masticaba los *melindros* de uno en uno, casi los devoraba mojando sólo la punta, mitad secos y mitad empapados. Las mujeres hablaban a la vez, pisándose las palabras, era un día grande. Los hechos de la República habían llevado diversión a la merienda tradicional. Si lo movía lentamente con la cuchara, el chocolate se volvía más espeso y tomaba colores más oscuros, haciendo al mismo tiempo espirales. Hoy no tendría que escuchar los consejos matrimoniales de su madre, de Patrícia o de tía Sixta. Kati no le daba consejos de casamiento, pero se entretenía haciéndola sufrir por su fealdad. No te entiendo, reina, por qué tienes tan poca destreza para maquillarte. Los hombres eligen por los ojos, buscan la belleza de la cara, la estética de un cutis limpio. ¡Qué incitante resulta un cutis bien depilado y bien maquillado! Las pestañas y las cejas, por ejemplo, te dan asco. Parece que les ponga aceite de ricino o petróleo. Tienes que tratarlas con la cáscara de un coco pequeñito, triturada y mezclada con aceite de almendras dulces, querida. Si no tienes un poco de vanidad, de coquetería, te volverás vieja y estúpida como una solterona. El hombre es un *partenaire* que quiere mimos, alegría, espontaneidad. No todos los hombres, claro está, seguía diciendo Kati, ya sabes que a mí no me interesan todos los hombres, sino los atractivos, los inteligentes, los aventureros. Los hombres, los hombres. Para Patrícia o tía Sixta los amores apasionados no traen más que desgracias, quebraderos de cabeza, la una repetía que más valía quedarse para vestir santos y no tener que hacer un mal casamiento, la otra que bastaba haber bailado un día para saber cómo las gasta el hombre. Recitaban pasajes enteros de *La perfecta casada*, el recuerdo para la novia, la atención para la esposa. Pueden sacarse del libro provechosas enseñanzas, sobre todo para devolver a la mujer el puesto que le corresponde dentro del hogar. Y claro está, nada de esclavitud. Mundeta, necesitan citar textos de otros porque son estériles de corazón, sé muy bien que mamá no ha llorado jamás. Pensó que las tres mujeres, excepto la Kati, habían admitido el amor demasiado pronto. Había que esperarlo pacientemente, con cautela. Ella lo haría mejor. Claro que todavía no había conocido a ningún hombre. A ella le llegaría el amor bajo las formas lentas de la ilusión, como recalan los barcos en un puerto. Apoyaría su cabeza sobre el pecho de su amado, como lo hacía Jeanette McDonald sobre el pecho de Maurice Chevalier, o Janet Gaynor, la dulce Janet Gaynor, que buscaba la protección de George O'Brien. Su vida sería una vida conducida hacia la felicidad, al lado de un hombre seguro y tranquilo que la amaría cada noche y le recordaría que ella era la única. Bajo las sábanas de hilo que despedirían un irresistible olor de tomillo, se jurarían amores eternos, pasiones sin límites. Y estaría día y noche poseída por una locura de besos. Mundeta, ¿en qué estás pensando?

28 de septiembre de 1898

He escrito a Tereseta, la de Siurana, para contarle el susto del otro día, cuando Francisco y yo paseábamos cerca de Vista Alegre. No sé qué cosa me dio ganas de saltar y bailar. Era un deseo irreprimible de lanzarme a volar por encima de Barcelona, de abrazarla muy fuerte, de comérmela si podía. La ciudad me obsesiona y, viéndola tan pequeña, a mis pies, me sentí transportada como por los vahos del alcohol. Y Francisco, pobre hombre, se dejó enredar por mí cuando le dije que si me atrapaba.

–¡Ah que no me atrapas! –le dije, a la vez que le hacía un mimo.

–¡Mundeta, no seas niña! ¡Qué dirán si nos ven!

Pero yo me puse a correr monte arriba. No sé cómo explicar el placer que se apoderó de mí, por nada del mundo me habría detenido. Los zapatos me dolían de pisar con fuerza las minúsculas piedras del camino. Iba apartando las ramitas y los bordes de mis faldas se me llenaban de polvo. Quería correr, correr, correr. Hubiera querido surcar los aires. Era el atardecer y Barcelona se aparecía lívida de luces, con las nubes estriadas, de color de manzana encarnada.

–¡Mundeta, no seas mariposa!

Esto es lo que yo me imaginaba ser, una mariposa grácil, delicada, lánguida, siempre a punto de oler una flor. Unas veces un pimpollo, una rosa desflorada, otras una espina, áspera y punzante. Sentía fuertes latidos, como si mi cuerpo se convirtiera en una astilla, en un montón de astillas. Francisco jadeaba, refunfuñaba. Me seguía muy de cerca, entresudado, desconcertado y avergonzado. Pero yo no le hacía caso porque me sentía la reina de la montaña, señora de Barcelona. Alargaba el paso para alejarme de Francisco. Barcelona titilaba en las primeras sombras de la noche. De repente noté un calor muy suave entre las piernas y creí que era la prolongación de mi alegría. Luego, el calorcillo se convirtió en el reguero suave de un líquido que fluía, caliente, más allá de la conciencia (y que Dios me perdone, pero no sé expresarme mejor). Me detuve algo extrañada. Era una sensación nueva. Y era una sensación nueva porque era sangre lo que chorreaba por mis piernas. Y el pequeño reguero de sangre pronto fue un chorro que salía a borbotones.

Me daba apuro que Francisco se diera cuenta. Pero estaba a mi lado y me miraba con ojos descoloridos. Un aguijonazo muy fuerte me atravesó los riñones. Me caí al suelo. Los árboles avanzaban y retrocedían y a veces se ensombrecían hasta que quedé sumida en un abismo, y el abismo era tan sombrío que me hizo perder el sentido.

Me desperté en la cama. No había nadie en la habitación. Sólo un silencio muy extraño y la luna del armario de caoba, que despedía lucecitas blancas. Y entonces empecé a oír un bullicio, primero muy vago, hasta que se convirtió en un fragor espantoso. Un montón de imágenes iban y venían, saltaban a mi alrededor, eran unas imágenes monstruosas, deformes, contrahechas, que se revolcaban por el suelo lanzando chillidos. De vez en cuando, un aullido se prolongaba por encima de los chillidos, era un aullido de mujer, un aullido estridente, con un sonido metálico. Y una horrible figura llena de baba se alzó por encima de las otras, una forma animal de color rojizo y piel viscosa, que se retorcía por entre mis sábanas. Los ojos echaban espuma, y sus narices, arañadas y llenas de sangre, se ensanchaban mientras su boca soltaba una vaharada de cadáver. Tenía pechos y cuernos y su rostro era de mujer y de demonio a la vez. Me gritaba y me abrazaba y vi a mis muertos, a mis padres, al abuelo de Siurana, que me decían que era una perdida. Y el monstruo mitad mujer mitad demonio me llenaba el pecho de arañazos y besos, como si fueran chupadas del infierno. Me desperté con la ropa de la cama por el suelo y sudada. A mi lado estaba el médico de cabecera, el doctor Moragas, que me miraba con extrañeza. Me tranquilizó y yo no me atrevía a contarle lo que había soñado. Me daba vergüenza. No acababa de entender el sueño. El doctor Moragas me dijo que no tenía ni gripe ni fiebre amarilla. Me dijo que lo que me pasaba era que había perdido un hijo. Luego me regañó, porque una mujer sensata no hace tonterías en la montaña. Francisco se lo había contado todo.

Cuando me quedé sola, pensé que aquella sangre tan dulce y tan caliente que me había bajado por las piernas y me había dejado medio vacía era un comienzo de hijo mío. Y ahora no era nada, ni un pedacito. Lloré durante un rato y luego me dormí. Pero me desvelaban mis propios sollozos. Me había cogido una tristeza muy grande, porque yo creía que los niños nacen por el ombligo y resulta que también salen por abajo. Y sentí mucho asco y pensé que no quería tener hijos si había de ser de aquella manera.

Francisco me ha dicho, para consolarme, que se hará socio de la Asociación Wagneriana y que alquilaremos un palco en el Liceo para todo el año. Y yo he prometido que nunca más me verá nadie llorar.

Nito le dice a Mundeta, otra vez el coñazo de una asamblea de distrito, se puede saber qué cojones ha pasado. Que han cerrado la Universidad de Madrid, dice Mundeta. Pues si la han cerrado habrá asamblea para rato, tendré que tomarme el vermut con los bedeles, que son los únicos que llenan el bar cuando hay follón. En el bar tendrás que quedarte solo, precioso, Telele se ríe, ahora a las asambleas van hasta las monjas. Es cuestión de los que llevan la cosa, verdad, chata, le dice Nito a Mundeta. No me llames chata, estúpido. Chica, en seguida insultas: a ti no se te puede tocar ni un pelo. Seguramente el orden del día será sobre el cierre, dice Telele. Y a nosotros qué coño nos importa que la cierren o la abran; yo lo único que quiero es ahorrarme los exámenes, si supierais la pereza que me da ponerme a empollar. Me apuesto lo que queráis que los hijos de puta de la coordinadora liarán la cosa a propósito, y tu Jordi el primero de todos. Mira, si no te gusta, te vas al bar y listos: tu ayuda no nos interesa para nada. Parece mentira que seas tan poco solidario, le regaña Telele. Ay, hijas, os lo tomáis como si fuerais catequistas. Mundeta se va, es mejor no escucharle, me saca de quicio. Telele mira a su alrededor, no hay nadie en el claustro, seguramente la gente se ha ido a la asamblea mientras escuchábamos a ese golfo, vamos. Esperadme, dice Nito gritando, esperadme, hijas de María. Telele, no le hagas caso, no merece la pena, es un estúpido. No corras tanto, Mundeta, por lo menos disimula que estás colada. Yo no estoy colada por nadie. Perdona, chica, eres muy susceptible; vamos, reina, hagamos las paces. Silencio, dice Telele, el delegado de cuarto curso está hablando. Además, ya sabes, Mundeta, que todavía me gustas y que estoy dispuesto, si tú quieres, a... ¿Quieres callarte? Aquí no cabe ni un alfiler, dice Telele. Este Jordi, dice Nito riendo, lleva a todas las hembras de cabeza. Sí, es un ganado que abunda mucho, dice Rafa, que está sentado al lado de Mundeta. Monjas y curas también. Mira, Telele, Mundeta se va. Que no me voy, que sólo quiero dar información a nuestro delegado. Nito me mira las piernas, piensa, es lógico: todavía le gusto. Leen el orden del día, eso de Madrid es muy gordo, tú. Es Nito, que no se calla. Mundeta pone cara seria, escucha con mucha atención y con gesto concentrado, a la altura de las circunstancias: quisiera que Jordi le dirigiera una mirada, una sola. Comienzan los ruegos y preguntas. Cállate tú, le dice Rafa a Nito, que no oigo bien la propuesta de Jordi. Huelga de solidaridad, veis cómo tengo razón de no venir nunca, qué aburrimiento. Quieres callarte, Nito, le suelta Mundeta. Tú, me parece que Jordi y Enric se enzarzan en una discusión; caramba, chico, se están peleando. Enric, catalanismo y burguesía son lo mismo. Nito, ¿pero se puede saber qué tiene que ver eso con el cierre de Madrid? Qué dicen, dice Telele, que no oye nada. No sé qué de los planteamientos económicos. Mierda, opina Rafa, el desclasado. Queréis callar, dice Mundeta, nerviosa, ella bien quisiera estar junto a Jordi, decirle que tiene razón, que sólo él tiene toda, toda la razón del mundo, que Enric y los suyos son unos brutos, que ahora no es el momento de plantear este tipo de problemas, y todo porque la propuesta de huelga la hacía Jordi, que es de otro color. Lo mira con una mirada insistente, una mirada que ella quisiera muy llena de fuerza, una mirada desprovista de toda migaja de piedad hacia los otros, hacia los enemigos. Soteras se apasiona demasiado, refunfuña Nito, no tiene la serenidad de los delegados. Mundeta le lanza una mala mirada. Silbidos desde la otra parte, en castellano, en castellano, y ella piensa que se repiten, que cada año pasa lo mismo. Alguien habla de la urgente necesidad de crear comisiones de estudio, estos problemas son muy delicados y..., un gran alboroto, madre mía, brazos alzados por todas partes, unos se levantan, alguien intenta marcharse, no fuera que. Otros, en el fondo del aula, se echan a reír. Mundeta siente un inicio de dolor de estómago, cálmate, chica, no te pongas nerviosa, veo que Jordi vacila: será cuestión, dice, de hacer votaciones. Y ella es de las que más gritan, no, no, nunca, votaciones no, y lo dice porque sabe que a Jordi le dan miedo las votaciones, que nunca se sabe cómo pueden acabar, que todas las democracias son falsas. Unos dicen, referéndum, referéndum.

Ella no ignora que Jordi detesta los follones y querría irse muy lejos con él. Fundirse, desaparecer, que la muchedumbre se volviera pequeña de repente, como hormigas, y pisotearla para que no quedara nada de ella. Telele suspira, chicos, esto va mal. Chata, dice Nito, tu hombre queda descalificado por momentos. No me llames chata, imbécil. Le odia, odia a Nito porque le adivina los pensamientos, le adivina el miedo, le adivina la debilidad. Lo estoy sintiendo, me pongo nerviosa, perderé los estribos si esto sigue. Si por lo menos Jordi me mirara, aunque fuera un solo segundo, por Dios, un segundo, por Dios, un segundo. Nito, un gol para Enric. Mundeta sale repentinamente de su aturdimiento, oye unos aplausos frenéticos. Qué ha pasado, pregunta. Enric, que dice que no se trata de hacer huelga, sino de poner en crisis la Universidad como institución y destruirla. Una propuesta muy concreta, ironiza Rafa. Ella le sonríe, agradecida. Calla, dice Telele, ahora parece que habla Miquel, éste, desde que se ha casado es persona de seso. Nito se ríe y Rafa rezonga porque no le dejan escuchar. Todo el mundo se calla y escucha con respeto a Miquel. Nadie se atreve, en castellano, en castellano. Dice que les estamos haciendo el juego, que eso es lo que quieren, la división... Jordi se tranquiliza, enciende un cigarrillo. Mundeta suspira aliviada y le sonríe. Nito, que me está mirando las piernas, es un bruto. Miquel, hay que estructurar una política de unidad, de alianza, no podemos dejar que nos saquen de quicio, porque eso es lo que esperan. Otro punto para el equipo. Enric le replica, que lo confundes, ya sé adónde quieres ir a parar: a la política de autodeterminación, no me equivoco, ¿verdad? Un movimiento nervioso de protesta se extiende por el aula, las cuestiones clandestinas no tienen por qué salir. Autodeterminarse, sigue diciendo Enric, no es más que un camelo que se ha inventado un grupito para mantener, con sus teorías reaccionarias, a la oligarquía terrateniente y financiera: este grupito, por tanto, defiende los intereses económicos de las clases que ahora están en el poder, es su instrumento. Y en realidad destruye lo que tiene de bueno un estado hegemónico. Caramba, exclama Telele, esto es muy fuerte. Jordi se exalta, se apasiona de nuevo, le insulta. Ay, Jordi, que te hundes, piensa Mundeta, que te hundes. Mundeta quisiera que nadie advirtiera la voz temblorosa de Jordi, las mejillas encendidas y la palidez de las manos. Por el movimiento de la gente, Mundeta adivina el inicio del desprestigio de Jordi, y un rumor cada vez más intenso hace prever el final. Jordi grita a Enric, le dice que es un ignorante, que lo que debe hacer es consultar la historia de nuestro país. Qué país, pregunta Nito con ironía, tú, Rafa, de qué país habla. De la parte de atrás se oyen voces: *barretinaire*, folklórico, catalanero, reaccionario. Y Mundeta querría que Jordi hiciera un discurso como los de siempre: inteligente y seguro. Debemos pensar, matiza, en los momentos en que hemos logrado una mayor solidez revolucionaria. Es precisamente en tales momentos, dice, cuando hemos sabido identificar la lucha de clases con la lucha nacional. Otra vez, en castellano, en castellano. Alguien grita, pero qué dice éste, qué tiene que ver esto con lo que hablamos. Rafa dice que Jordi ha caído en la trampa: que no debería haber hablado. Enric pronuncia entre dientes, traidor, revisionista. Diablos, vaya follón, dice Nito. Jordi le contesta en el mismo tono. Se forma un barullo de voces y de uuuuuuuuuuuuuuh por toda el aula. Jordi calla, avergonzado. Mundeta, que me mire, por Dios, que me mire. Detrás de Mundeta alguien se pelea, pero ella no entiende por qué. Jordi está sudando, lo veo, piensa Mundeta. De repente, un chillido frenético, la poli, la poli, movimientos tumultosos hacia la salida, no, no, serenidad, una falsa alarma. Telele dice en voz baja a Mundeta que hoy no le haría ninguna gracia que la metieran en el talego porque ha quedado con aquel extranjero rubio tan simpático a quien conoció en el museo Picasso. Mundeta sonríe con suficiencia y vuelve a observar los gestos de Jordi. Presiente que está abatido, intuye que se hunde. Otra vez, la poli, la poli. Nito, esto se pone feo, yo me largo, no sea que. Enric se pone histérico, rojo como la grana, los ojos a punto de saltársele de las órbitas, las venas del cuello hinchadas. No lo entiendo, dice Telele. Me parece que repite, contesta Rafa, todo aquello de los nacionalismos, que por culpa de sus chorradas no se ha llevado a cabo la revolución en los países neocapitalistas porque la burguesía y las clases oligárquicas... Vaya, otra vez en el mismo estribillo, piensa Mundeta... Lo han enmascarado con la pretendida idea de una democracia ficticia... Jordi se levanta, no, no, piensa Mundeta, no hables hoy. Pero Jordi trata de razonar y la gente le abuchea: uuuuh. Y al hablar Miquel la gente se calla. Dice que lo que debe hacerse es un análisis de la situación, con calma y sin peleas. La gente otra vez, en castellano, en castellano, pero él, impasible, sigue hablando, suavemente, pero con firmeza: aquí nos hemos reunido para discutir sobre los posibles cierres de las universidades españolas y también para ver si nos solidarizábamos o qué. La gente se tranquiliza, vuelve a sentarse, y Jordi se relaja pero no mira a nadie.

10 de enero de 1899

Hoy una nube negra ha oscurecido la ciudad. Son las cuatro de la tarde y parece la hora de la cena. Ha llovido todo el día y sólo se oye el ruido de algún coche que atraviesa Gracia para ir a Barcelona. Gotitas de lluvia resbalan por los cristales del balcón. Hace mucho frío y los geranios del balcón se me han helado. Siento un extraño cansancio y eso no indica nada bueno. Cambio a menudo de estado de ánimo, me entristezco y de repente me pondría a cantar. Francisco dice que no me entiende.

Ayer le dije a mi confesor que cuando iba a la iglesia de Jesús me gustaba meterme, hecha un ovillo, en los rincones más oscuros y contemplar boquiabierta las imágenes de los mártires. Cuanto más sangren y sufran, mejor. Sus miembros retorcidos, sus ropas desgarradas, sus miradas de dolor, me transportan hacia lugares celestiales. Siento nostalgia de épocas antiguas como si las hubiera vivido. Me veo a mí misma en las catacumbas, preparándome para el martirio, entre los lamentos de los primeros cristianos. El confesor me dijo que le parecía peligroso. Que profanaba la santidad. Que no debía buscar el sufrimiento en los demás sino en mí misma, porque así Dios me encontraría más bella. Mi confesor no puede comprender que yo querría ser un ángel sin cuerpo, pura como la nieve, blanca como los dos amorcillos de mármol de testa rizada que se abrazan y se aman.

El cristal se ha empañado a causa de la lluvia. No puedo ver nada a través de él. Las campanas de Gracia tocan a difuntos. ¿Quién se habrá muerto? Cuando hace un día así, languidezco sin remedio. Y recuerdo mi infancia, años dorados en que los ojos tiernos de mi padre me miraban, por la noche. Y siento las canciones de las monjas, en el coro de la iglesia, y los consejos del «padre». Y veo las estampitas que bordábamos tomando como modelo la imagen del Sagrado Corazón que estaba en la capilla, ribeteada de azul claro. A veces me parece que la vida es muy lenta y me vienen a la memoria los versos del poeta:

Víctima de flores coronada,
al ara por tus padres arrastrada
lloras el yugo que sufrir habrás...

–Jordi, escucha, Jordi.

No había manera: en medio del círculo, muy enrojecido y con su rostro grave. Un deje de nerviosismo lo diferenciaba de los otros días. Había que ir a la huelga, ¿no? Pinchaba a Enric, que lo miraba entre escéptico y cínico. ¿No me dirás que no estamos de acuerdo por lo menos en esto, no? Sí, pero haremos huelga unos cuantos días y luego, ¿qué? Todo seguirá igual. Si no damos una respuesta..., más vale que nos la... Cállate, no digas tonterías.

–Escucha, Jordi.

–Calla, nena.

Enric, ya no estamos allí dentro; ya ves que hoy hemos metido la pata. Lo habéis hundido todo, insinúa uno, ya veréis cómo mañana no viene nadie a la asamblea. Yo no soy tan pesimista, opina otro. Es que tú, Jordi. Qué, se vuelve frenético, como si le hubiesen golpeado. ¿Yo, qué? Habéis metido la pata, chico, habéis metido la pata. El estudiante medio quiere seguridades, quiere unión por encima de todo. La culpa la tenéis vosotros que... Vamos, no vuelvas a las mismas, Jordi, estás nervioso. Ya hablaremos de ello. El círculo se deshace. La discusión murió por inanición o por cansancio. Ninguno de los dos bandos podía ceder. Había que aclarar, sin embargo, si sus argumentos no resultaban contundentes o es que las posiciones no eran lo bastante sólidas para que fuera posible llegar a un acuerdo plausible. O vete a saber si la decisión final de acuerdo no sólo dependía de ellos. Tal vez aquel día alguien empezó a intuirlo. Pero era demasiado triste, o real, para digerirlo con calma. Jordi y Mundeta salieron del claustro. Caminaban como siempre, lentamente. Él, con las manos en los bolsillos.

–¿Qué querías?

–¿Yo? Nada.

–Chica, estabas muy impaciente.

–Es que lo estaba pasando mal...

–¡Vaya!

–Estás nervioso...

–Mira, Mundeta, si crees que estoy haciendo aguas, yo...

–¡No! No quería decir esto, quiero decir que estás hasta la coronilla.

Miró hacia delante. Cuando Jordi perdía la vista en el vacío era inútil decirle nada. Pero Mundeta notó que sus últimas palabras le habían impresionado. ¿Sería cierto? ¿Estaría harto? ¿Habría acaso un final previsible para tanto tiempo de lucha, de desgaste?

–¿Quieres que vayamos a pasear a algún sitio?

–No me apetece.

–Me parece que das demasiada importancia a todo esto de Enric y los suyos...

–No, pero por su culpa no se hará huelga.

Era la primera vez que Jordi admitía un no tan rotundo.

–Nunca había ocurrido que una propuesta de los delegados se fuera a hacer gárgaras...

–No pienses en ello.

–Reaccionas como una mujer.

–Quiero decir que podríamos hablar de alguna otra cosa.

–No tengo ganas.

–Hijo, no tienes ganas de nada.

–Sí, de una cosa.

–¿De qué?

–De estar solo.

–Pero escucha, Jordi...

Se les acercó Anna, resuelta.

–¡Vaya aguacero se nos ha venido encima!

–Es el principio del fin –dijo Jordi.

–¡Estáis muy pesimistas! Escuchad, esta noche nos vemos unos cuantos en mi casa. ¿Vendréis?

–Yo, no.

Mundeta se dio la vuelta. Si Jordi decía que no, ¿qué iba a decir ella?

–Pero tú ve –dijo Jordi a Mundeta.

–Si quieres podríamos ir a algún otro sitio.

–No, ya te he dicho que tengo muchas ganas de estar solo.

–Me parece que te lo tomas demasiado a la tremenda –dijo Anna–. No es para tanto. También hay que vivir, ¿no?

–Si voy, ya me veréis.

–Me han regalado una botella de whisky escocés y nos la tenemos que endiñar. ¡Adiós!

–¡Espérame, Anna! Voy contigo –dijo Mundeta–. ¿Vas a venir?

–Ya te he dicho que no. Si me presento, ya me verás.

–De acuerdo.

¿Decirle alguna cosa? ¿Asegurarle que estaba a su lado?

–Adiós, Jordi.

–Adiós.

25 de febrero de 1899

No pasa nada en Gracia. Día tras día, siempre lo mismo. De vez en cuando sucede algo que me anima. Como ayer, que inauguraron el tranvía eléctrico.

Toda Gracia estaba de fiesta. Habían adornado las calles con guirnaldas de flores como en la Fiesta Mayor. Nosotros estuvimos en el palco de la presidencia. Comparado con el que tiran las mulas, el tranvía eléctrico parece un bólido. Algunas de nuestras amistades tienen miedo a subirse en él. Dicen que corre no sé qué historia, por Italia, que los que pisan el raíl mueren al instante. Son historias de campesinos, sin fundamento alguno. Aquí todo el mundo se anima con los cotilleos, las críticas, todos viven de eso. Y nadie hace nada para tener más cultura, para saber leer, para tener más educación. Muchos de los que viven en Gracia no olvidan las costumbres de la vida de payés y resultan ridículos. ¡Me gustaría ver qué papel harían en el Liceo! Se obcecan en vivir como puercos, groseros, sin refinar. Y al fin y al cabo no cuesta tanto: una payesa, muy al contrario de una *co-*

cotte, puede convertirse en señora. Hay que imitar las modas de Barcelona. Contemplarlas como si no te dieras cuenta y copiarlas sin exageraciones ni excesos. Las *cocottes* son estridentes y grotescas porque siguen a las señoras sólo en apariencia. Cogen los detalles externos pero no saben captar su espíritu.

En Gracia, que no es más que un pueblo aunque digan que es Barcelona, vive mucha gente que se comporta como campesinos. Me moría de vergüenza, ayer, cuando vi el sarao que armó la Dolores, la bordadora de la calle de las Tres Senyores, que tiene una hermana medio perdida y cuida de las tres sobrinitas, Rosalia, Clareta y Margalida. Si Dolores no hubiera nacido, como mis padres, en Siurana, le habría dado un buen repaso. Su grosera actitud de verdulera me hizo enrojecer. La vieja tuvo la ocurrencia de ser la primera, antes que las autoridades, en subir al tranvía eléctrico. Empujó a la guardia y la estuvo golpeando mientras avanzaba abriéndose paso a codazos. La gente alborotaba para que no la dejaran pasar. El griterío aumentaba, pero ella, con una sacudida final y después de dar empellones a diestro y siniestro, se coló dentro del tranvía. Todo el mundo voceaba. Tuvieron mucho trabajo porque la mujer se había clavado en un asiento, despatarrada, para seguir el espectáculo. Yo estaba confundida y lo único que quería era desaparecer del mapa –todo el mundo, en Gracia, sabe que somos parientas– y no me atrevía a llamarla. Menos mal que la mujer del alcalde, la Pauleta Forns, se desgañitó para que la sacaran.

—¡Madre mía! ¿Por qué no se llevan a esa desgraciada? ¡Vaya compromiso!

Lo decía indignada. Cuando lo consiguieron, con su vestido de burato, su ropa estrujada y sus cabellos despeinados por la pelea, aún tuvo la desvergüenza de darse humos de marquesa. Pasó por entre los guardias con la cara bien alta. Tenía el rostro enrojecido e hinchado y yo miré hacia otro lado.

Los hombres, ay, los hombres. Nunca había visto a ninguno. Es un decir. Nunca había visto uno de veras hasta aquella mañana del treinta y cuatro en que había llevado a pasear a las primitas por las cercanías de Valldoreix. Las primitas, hijas de tía Sixta, eran dos, la Esmeralda y la Jacqueline. Esmeralda se hacía un ovillo, pequeña, graciosa, los ojos como de seda, de ratita, dentro del cochecito, enorme, de cuatro ruedas. La otra, Jacqueline, ponía cara de amargada. Sólo tenía seis años, pero Mundeta le decía, niña, no te casarás, pareces una vieja, una viejecita de pueblo. Jacqueline era igual que su mamá, siempre refunfuñaba, todo lo encontraba mal, la eterna víctima. Hombre no había visto nunca ninguno. A excepción del cura de las Salesianas, el jardinero de las tías de Valldoreix, los amigos del señor Miràngels, el poeta que estaba casado con Patrícia Miralpeix, el niño murciano que les llevaba los útiles de la limpieza y que un día le dijo, mira yo tengo pelos en el bigote, y el papá, no, el papá no, que se murió. Y aquella mañana, que estrenaba combinación de color ocre –también tenía un camisón completamente negro, como las novias, y ya no llevaba la camisa-pantalón y su madre le había dicho, nena, si te mueres ahora mismo, qué pecado tan gordo, Madre de Dios, te condenarás, no lo hagas, no vayas sin camisa, es como si anduvieras desnuda y los hombres te atravesarán con la mirada–, aquella mañana conoció a uno. Y mira que no había manera de que Jacqueline se estuviera quieta. Te zurraré. Ven aquí, chatita, no te escapes ahora. Y quería una habitación de matrimonio muy grande, enorme, una gran sala de estar, con una colcha adamascada. Y unas cortinas blancas, transparentes, como de telón de teatro. Y un balcón que fuera de punta a punta del cuarto. Y ella llevaría una bata de color negro, así, que se abriría por el medio, con el cuello y los puños de moher. Y la bata llevaría cola, una cola bastante larga, de aquellas que tienes que darte la vuelta muy lentamente para no tropezar. Y la habitación alfombrada, con espejos por todos lados, de película. Te pones delante de un espejo de ésos y te ves entera, de pies a cabeza. ¡Bum!, te giras y vuelves a ser tú otra vez, y también de lado, no vayas a creerte, de los dos lados. Y yo haría de señora, con dos camareras para mí sola, dos, por lo menos, con la bata que me llega a los pies. ¿Irás a tomar el té al Ritz? Oh, hoy no puedo, querida, tengo jaqueca. Mundeta, te presento a Ignasi Costa. ¿Nos hemos visto en algún sitio? Sí, usted tal vez no se acuerda, pero yo sí, el otro día, en que yo llevé a mis dos primitas a pasear cerca del Mas Roig.

Usted caminaba muy lentamente, como si estuviera enamorado, cómo le diría, del paisaje o de algo hermoso. Esmeralda no, Esmeralda no la molestaba. Salta del cochecito al suelo como si fuera en aeroplano. Si le sale un cardenal, un chichoncito, no llora porque es muy valiente. La niña más valiente de todo el mundo. Y el muchacho, cuando le vi, ya lo tengo, dije para mí, me enamoro de él de prisa. Será mi galán, mi hombre. No tendré ninguno más. Jacqueline no para, vaya chiquilla. Que si me quiero ir, que si le diré a mamá que no me haces caso. No te quiero, mala. Me aburro mucho cuando salgo contigo, porque no me compras nada. Cómo quieres que te compre algo, tontaina, como no sea un puñado de hojarasca del bosque o una magnolia robada en la finca del Mas Roig. Vete, le decía la pequeña, tozuda, no te quiero. Mamá dice que tú eres la primita pobre, que no tenéis ni para compraros un vestido para los domingos, y dice que la culpa la tiene la tía Ramona, tu mamá, que siempre ha tenido la cabeza llena de pajaritos y muchos humos y que se gastó todos los cuartos que os dejó tío Francisco, que en paz descanse. Dice también que el tío era un pedazo de pan, un buenazo, y dice que tu mamá es una mujer que presume de señora pero que de dinero nada. Y tú, como que también eres muy mala, irás al infierno. Allí te quemarás en el fuego por siempre, siempre, siempre. Calla, calla, las mejillas le ardían de rabia, las manos le temblaban, todo por culpa de tía Sixta, que decía cosas horrorosas de ella y de mamá. Mientras aquella boba hablaba, ella no podía ver al muchacho de ojos ensoñadores y alpargatas blancas, relucientes y atadas con cintas a las pantorrillas. Ahora el chico estaba muy quieto, ante la pared cubierta de rosas del Mas Roig. A ella se le ocurrió que, por estar tan quieto, tal vez no sabía que estaba delante de las rosas o, más bien, que la fragancia de las rosas le había adormecido y le hacía soñar, quizá mundos maravillosos. Usted no me vio porque parecía no darse cuenta de lo que le rodeaba, tal vez porque está enamorado. No, el olor de las rosas me recuerda el olor tierno y suave, como la leche fresca, de una muchacha muy joven. De una muchacha como usted. Y ella enrojeció como una granada, avergonzada. No crea, no soy tan joven, ya he cumplido los veinticinco, lo que ocurre es que soy muy delgada y enclenque y todo el mundo piensa que tengo sólo veinte. Qué tontería, quién le ha dicho a usted que es enclenque, qué tontería. Y sus ojos, no los ha visto nunca sus ojos. Cómo quiere que los vea, si son míos. Es casi imposible: los espejos no reflejan ni el color. Pero hay otras cosas que reflejan la imagen, cuando es hermosa. Si usted mira el agua, con paciencia y cautamente, atrapará dos lucecitas que brillan y quieren traspasar la superficie. Usted habla muy bien. La Jacqueline es insoportable, ahora me saca la lengua. Como si fuera un espantajo, qué se habrá creído. Y la Esmeralda, tengo pipí, corre, corre, que se me escapa. ¡Que se me mojan las piernas, mira qué pipí! Y yo me voy a un rincón del bosque, el que está al lado mismo de la fuente. Mira, Mundeta, riego los bichitos y las florecitas con mi pipí. Cochina. Ahora no puedo ver al chico porque un roble de tronco muy ancho y grueso me lo tapa del todo. Las palabras me salen bonitas cuando hay alguien que las sabe recoger. En cuanto la he visto, silenciosa en un rincón y escuchando las soserías vocingleras de aquellos monstruos cosmopolitas, he pensado, ves, Ignasi, todavía hay un poco de vida en Valldoreix. Usted es la primera vez que viene, ¿no es así? Sí, mi padre es agregado de un cónsul y me he pasado media vida viajando. Pero mi madre había veraneado ahí de pequeña y se ha obstinado en que volviésemos. Me parece que Valldoreix no le hace mucha gracia. Lo que no me gusta es la gente, a excepción de usted. Mira, Mundeta, ahora ahogo las hormiguitas con mi pipí. Por qué lo dice con tanta seguridad, si yo también veraneo en Valldoreix. El corazón nunca me ha engañado. Y perdone, no recuerdo su nombre, Mundeta. Es un nombre extraño. Viene del campo, mi madre también se llama así, y mi abuela, y mi bisabuela. Todo el mundo cree que es un diminutivo de Raimunda, pero en realidad nos llamamos Ramona. Esmeralda, qué te pasa, Mundeta, no me escuchas, te estoy diciendo que se me ha terminado el pipí.

5 de marzo de 1899

A Francisco le gusta mucho escribir poemas. Y dedicármelos. Pero lo que hace con más frecuencia es pintar. Sobre todo paisajes del campo y marinas. Un río de aguas heladas que atraviesa un valle, las rocas abruptas de un acantilado tenebroso, unas barcas con redes y el mar que ruge al fondo, unas doncellas entre palomas negras, una muchacha con un cántaro roto y una tempestad que se acerca, un jardín siniestro y lleno de sauces llorones, un castillo misterioso medio oculto por yedras y emparrados. Mezcla colores oscuros y colores claros, pero usa más de los primeros. Su pintor preferido es Urgell –tenemos tres Urgells en casa– y le copia sus cementerios otoñales. Le seducen los paisajes tétricos, las marinas atormentadas. En la salita de las muñecas de porcelana hemos colocado un enorme cementerio de Urgell al lado de los retratos de los papás y de tía Climent, que en paz descanse.

Francisco es un hombre ordenado, minucioso. Su lema es orden, paz y tranquilidad. Y la palabra «trabajo» no le abandona nunca. A veces los préstamos le dan buenos réditos y entonces le gusta comprarme joyas y pieles. Pero no es hombre afortunado con el dinero. Yo veo cómo sus amigos prestamistas han hecho fortuna y han puesto piso en Barcelona. Sus mujeres van mejor vestidas que yo y tienen coche propio. A veces tengo la sensación de que no he tenido suerte ni con el amor ni con la fortuna. Francisco se distrae con muy poco, con un buen bacalao *a la llauna*, contemplando cómo crecen las palmeras de la galería. Tiene una habitación, que él llama «de la inspiración», donde pasa largos ratos. En la habitación hay un caballete, pinceles de muchos tamaños, para barnizar y colorear, cajitas con las pinturas que mezcla. Lo que más abunda son las cajitas: triangulares, ovaladas, cuadradas, rectangulares, en forma de rombo. Las tiene colocadas de manera simétrica. Empieza por las más grandes, una encima de otra, bien ajustadas y formando pirámide, hasta que llega a la que tiene el tamaño menor, como una cáscara de nuez o un pellejo de alubia. Luego las guarda en una especie de cómoda, que me parece que es japonesa o china, no sabría decirlo. De todos modos es oriental. Francisco no me deja nunca que limpie esta cómoda. Ni que le quite el polvo. Lo hace él mismo. Usa para ello unos pequeños trapos especiales de terciopelo, mojándolos en un licor que ha preparado antes. Se pasa horas refregándola. Recorre las estrías de la madera en la misma dirección y muy lentamente. Las conchas y las flores incrustadas, lirios y rosas, adquieren brillo. Él piensa que del interior de la cómoda sólo le he visto las cajitas. Pero yo sé que tiene muchas mariposas, mariposas de todos los colores, iridiscentes, malvas, grises, amarillas, lilas, encarnadas. Unas son aterciopeladas, otras tienen una pelusilla que parece astracán, y aun las hay que son mórbidas como la seda. Mariposas de todos los tamaños, menudas como una uña y grandes como la muñeca de la mano. Están fijadas con alfileres de plata con cabeza de perla. Tienen las alas extendidas. Cada una lleva debajo un nombre, escrito en caligrafía inglesa, con letras ensortijadas y dibujadas con tinta china de color rojo. Primero hay el nombre en latín y, al lado, un adjetivo, como *«adorada»*, *«reina»*, *«alegría»*, *«criatura»*, *«amor»*, *«florecita»*. Es curioso, pero cuando Francisco me hace carantoñas y me busca el cuerpo, me llama con estos nombres.

–Yo soy la puta de la Universidad.

Mundeta observó las facciones de Anna mientras le servía el whisky. Anna, que no era fea, tenía una cara más bien empañada y áspera. No es que sus rasgos fueran duros o adustos, pero una negrura difusa bajo los ojos, una negrura difusa y perenne y un rictus extraño la hacían más vieja que las otras muchachas. Siempre se le veía un ademán de distanciamiento, mitad de madre y mitad de mujer de mundo, como si estuviera de vuelta de todo y no acabara de creerse nada, y Mundeta sentía por esta actitud más atracción que repulsión. Anna practica el distanciamiento brechtiano, decía Jordi con sorna. Y lo cierto es que ella disimulaba el sentimiento de vejación que los demás provocaban en ella y adoptaba ademanes de me-tiene-sin-cuidado, burlones y desenfadados. Siempre había hecho lo que había querido, según parecía, y en la Universidad, como en cualquier parte, esta libertad se pagaba muy cara. Se trataba, en su caso, de una independencia adquirida con naturalidad, sin traumas ni humillaciones. El padre de Anna se había comportado con su hija con un *savoir faire* digno de los mejores padres europeos. Para ella el mantenimiento sexual no significaba ninguna reivindicación, sino una necesidad que había de satisfacerse. Esto le había valido el título de mujer de todos los hombres. Ellos la tenían siempre que la necesitaban y Anna era conocida como una especie de estudiante prostituida; pero lo aceptaba como un mal que residía en los demás y no en ella. Mundeta la defendía de las críticas de los otros, no sabía si por snobismo o por compasión; o quizá porque se había dado cuenta del imperceptible halo de tristeza, brumoso y fatigado, de sus ojos. Desde Enric, Nito o Rafa, la mayoría de los estudiantes conocidos habían pasado por su cama, y Anna se lo tomaba con una especie de calma natural que moralmente les infundía respeto. Después, cuando ella no estaba presente, los insultos habituales en estos asuntos fluían contra ella: nadie había comprendido que su facilidad no era más que una inmensa dosis de amor, una extraordinaria capacidad de amar.

Mundeta se bebió poco a poco el whisky, el primero de aquella noche, mientras escuchaba *Pain in my heart* de Otis Redding. *My heart.* A ella también le dolía el corazón. Toscamente sentimental –¡qué dulces eran el alcohol, los cigarrillos y la soledad!–, hubiera querido decir Anna que hay muchas clases de prostitución en este mundo de vivos, como decía la abuela. ¡Vaya con la abuela! Nunca la había comprendido: no sabía si se trataba de una mujer cínica y comediante o si, por el contrario, era una mujer que de la sensibilidad había hecho un arte.

Con la altivez de señora de Ensanche y respetada –mucho más que mamá– en el barrio, censuraba, con el menosprecio de los aristócratas que conservan el honor por encima de todo, las vulgaridades de su padre. Los silencios de la abuela, en casa, eran mucho más poderosos que todas las voces de la madre. Ella, la mamá, con el ademán de mírame-y-no-me-toques, el ademán que había heredado, con convicción y fidelidad, Sílvia, la hermana mayor. Pero había un aspecto en el carácter de su madre que Mundeta no acababa de entender del todo. ¿Por qué una mujer eclipsada y temerosa mostraba tanta animación cuando hablaba de la guerra? No sólo cuando recordaba el día en que tuvo que buscar a su marido entre los muertos de un bombardeo, sino también cuando aderezaba la narración del rastreo por la ciudad destruida con una infinidad de anécdotas que aumentaban de tono y de color cada vez que se disponía a contarlas. Un médico que reconocía los cadáveres y escribía versos, un viejo muy simpático que era de la FAI y que no sabía si le habían matado al sobrino, gentes de todo tipo, en las calles, en el tranvía, le habían mostrado la otra cara de una ciudad que a duras penas se mantenía de pie. La madre de Mundeta había convertido una historia más bien adocenada y mil veces repetible en una extraordinaria aventura. Sus ojos adquirían claridad, las pupilas se le encendían, los labios le tomaban un grosor y un brillo insólitos. El rostro se le transfiguraba, llevado por la nostalgia. La voz le vibraba con un trémolo pausado y las palabras surgían poco a poco, entre prolongados silencios. Si alguna vez se paraba a pensarlo, Mundeta quedaba sorprendida del éxtasis de su madre, y hubiera deseado saber de dónde provenía la oscura fuerza que la transformaba en otra personalidad. La historia de su madre rebuscando entre los cadáveres y muerta de frío le parecía a Mundeta una de tantas latas que los mayores sueltan sobre la guerra civil. La guerra era contada entre los suyos de mil maneras distintas, y la diferencia entre una y otra provenía de la forma peculiarísima y «única» en que cada uno la había vivido. La abuela, cuando alguien abordaba el tema, se exasperaba y le decía a su hija que mejor no hablar de ello, que la historia de la búsqueda del cadáver de su marido era una historia sucia y asquerosa, que gracias al bombardeo se habían descubierto los líos de. Y la madre de Mundeta le pedía que se callara, que mejor no meneallo. Pero la abuela insistía, decía que era mejor para los hijos saber qué clase de padre tenían. La madre se inhibía. Para ella no se trataba sólo de los tres años del desastre, de la muerte, del exilio, del hambre, de las familias separadas, del miedo o de la pérdida de fortunas cuantiosas, según tía Sixta, y de la larga y variada retahíla de consecuencias que habían hecho de aquellos tres años el período más decisivo, según parecía, de todo el siglo XX. Si para la abuela la guerra no fue más que una disputa personal y pintoresca contra los «enemigos de la religión», como ella decía, y que las «insensateces» de Joan Claret más valía enterrarlas, para la madre había sido un destello de vida que los acontecimientos posteriores se encargaron de ocultar. Ahora era sólo una mujer sumisa ante la autoridad del padre, una autoridad ganada a base de una leyenda de hombre fuerte y de una sólida posición económica cuyos orígenes no conocía nadie en la familia. Mundeta a veces sospechaba que su madre padecía un temor inexplicable hacia el marido, como si entre ambos existiera un secreto, un pacto de silencio. Ella sólo opinaba en las cuestiones de orden y limpieza, para decir si tal o cuál detalle era «de patán» u «ordinario» y para educar a los hijos dentro de las estrictas normas de la consabida urbanidad. Había que decir «papá», «mamá» y «abuelita», porque «madre», «padre» y «yaya» sólo lo dicen los niños de pueblo, los hijos de los charnegos y, como es evidente, los hijos de la portera. Los hijos de la portera representaban el esquema ideal de lo que no había que imitar. Eran la otra cara de la moneda –aunque no se los tratara con distancias aristocráticas–, el aspecto oscuro, sucio y sórdido de la vida. Los niños Claret eran la parte bella y pulcra. Los hijos de la portera vivían para marcar los cánones de las formas groseras de la convivencia humana. Durante mucho tiempo –casi hasta que ingresó en la Universidad y aprendió a despreciar, por convicción mimética, todo lo que oliera a «burgués» a «capitalista»–, Mundeta pasaba por delante de la portería con la democrática indiferencia de los habitantes del Ensanche. Se trataba de la misma indiferencia que sentía cuando acompañaba a su madre a llevar ropa vieja y juguetes a los niños del Cotolengo o a los del Hospital de San Juan de Dios. Observaba las llagas, las heridas, los muñones de los pequeños monstruos como el justo contrapunto a su propia perfección estética. Pero en cuanto descendía las escaleras de los edificios-asilos, olvidaba los hedores de los sitios donde yacían los cuerpos condenados a sobrevivir, los tufos de sémolas y de «caldos» amarillentos, los rostros adustos y febrilmente anhelantes. El niño mongólico y mutilado, que arrastraba por los suelos su tronco en un carretón de cuatro ruedas, el paralítico baboso, el lisiado deforme que sonreía estúpidamente, el inválido que despedía tufaradas hediondas, todos, todos los débiles parecían a Mundeta, cuando ya no los veía y por lo tanto ya no lloraba por ellos, una delicuescencia, evanescente y sutil, de otra realidad.

La abuela no practicaba jamás este rito del altruismo. A mitad de camino entre el lema de «la caridad bien entendida empieza por uno mismo» y la dedicación organizada, repartía el tiempo entre unas cuantas visitas o dos o tres barracas del Carmelo, a su cuerpo y a sus lecturas. La imagen más viva de la abuela era la de su figura ante el espejo, con la combinación de seda negra que resaltaba aún más la morbidez de sus carnes y el azul de sus venas. La piel de la abuela era blanda y pálida como el hielo, y la transparencia de sus manos contrastaba con la dureza de las uñas. Su cabello, pese a los estragos de la vejez, era negro, y lo llevaba recogido en una larga trenza que le envolvía la cabeza.

La abuela pasaba buena parte de su vida encerrada en su habitación entre los recuerdos físicos y los que le conservaba la memoria. El retrato del abuelo Francisco, con barba, chaleco, reloj y bastón de puño dorado presidía la habitación al lado de un enorme Cristo barroco ensangrentado y cubierto de llagas. Allí la abuela desaparecía lentamente, rodeada de sus biografías de reinas y de santos, de sus escapularios, de las plantas del balcón, mimosas, hortensias, anémonas, azucenas, geranios, yedras y rosas, obstinada de retener los últimos chorros de sangre que sin remedio se le escapaban.

Sí, él debería ser su hombre. Cuando volvió a verle, al cabo de dos tardes y en el jardín de Kati, que daba allí un *party*, se dio cuenta de lo que querían decir las novelas cuando hablaban de latidos del corazón, cuando éste funciona a un ritmo trepidante, como si buscara estallar y astillarse en multitud de esquirlas. Kati le decía siempre, vamos, no seas boba, Mundeta. Tienes que venir a mi casa, si vieses qué bien nos lo pasamos. Vienen chicos de la Floresta y de Sant Cugat, también los amigos italianos y franceses del invierno, y bailamos un poco. Mis *parties* son de lo más europeo. Nada de la «carquería» de Valldoreix, gente que ha viajado, que ha visto mundo, a quienes gusta divertirse. Has de escuchar mi gramola, una maravilla. Los franceses me han traído unos discos de *american jazz*, ¿no los has escuchado todavía? No seas sosa, que ya estás granadita. Siempre tienes que andar con tu mamá a meterte en cualquier covacha de compromiso, con viejas beatas del año catapún. Ahora no estás en Barcelona para calentar el asiento en el Núria o la Valenciana, ¿no te parece?

Kati había adornado el columpio con guirnaldas de flores silvestres. Bajo el limonero reía un grupo. Eran los franceses, gente «bohemia» y «perdida», según tía Sixta. Con ellos, una cubana muy negra y muy joven, el último descubrimiento, meneaba las caderas con las primeras notas de una samba. Mundeta pensó que las mimosas y las acacias parecían vírgenes hoy. Había llovido por la mañana y las últimas gotas resbalaban aún por las hojas. Pisó unas camelias sin darse cuenta. Y las pisó porque le vio allí, silencioso, como por azar, con sus alpargatas de cintas blancas atadas alrededor de sus pantorrillas.

–¿Estás mirando a Ignasi? –dijo Kati–. ¿Acaso le conoces?

Se llamaba Ignasi y sus ojos ardían. Era muy delgado y sus cabellos, peinados hacia atrás y fijados, brillaban. Tenía la cara hundida y parecía que todo cuanto miraba quedaría atravesado por su insistencia.

–No.

–Es natural. Ahora es la gran novedad de la colonia de Valldoreix. Pero me lo quedo para mí solita. Somos muy amigos, nos hemos estado escribiendo cartas durante todo el tiempo que ha estado fuera. Eran unas cartas preciosas –Kati contemplaba a Ignasi con ternura–, hay pocos como él. Pero no pienses mal, ¿eh? Grandes amigos y basta. Ven, te lo presentaré.

—¡No! —se puso nerviosa.

—¡Bobalicona! No se te comerá. —Kati rió—. ¿Por qué te dan tanto miedo los hombres? Como si fuesen monstruos al acecho. No te casarás nunca.

—No me importa. Ya sé que no me casaré nunca. Pero tú no eres la más indicada para decírmelo.

—*Touché*, chica. Pero mi caso es distinto. Yo soy de las del gremio de sálvese quien pueda, *my dear*.

—¿Qué quieres decir?

—Que no tengo salvación. —La mirada de Kati se había oscurecido—. Dejémoslo correr, hablábamos de ti. Me gustas porque también eres un poco rara, aunque no lo parezca. —Kati señaló al otro lado del jardín—. Te entenderás con Ignasi.

—¿Por qué?

—Tiene fama de estrambótico. Parece que se ha metido en política. En Barcelona dicen que ha hablado en algún mitin. —Se le acercó, confidencial—. Con gente de izquierdas y poco amigas de curas, que es la que a mí me gusta. También dicen que es vegetariano.

—¿Y cómo ha venido a tu casa?

—Boba. Yo no tengo prejuicios, como tú. A mí me encanta vivir, y no como a la Sixta y la Patrícia, que están vivas y ya crían malvas. Me atraen los hombres originales. Me siento fascinada cuando encuentro alguno que escapa a la vulgaridad ambiental. Ven.

–Déjalo correr.

La gramola iniciaba un fox y la cubana se quejaba porque quería un *xaxado* brasileño. Uno de los franceses la agarró por detrás y la negra estalló en risas.

–¿No me dirás que te da vergüenza? No perderás nada charlando con él un rato.

–Me encontrará sosa.

–Eres de las personas que conozco con un peor concepto de sí misma. ¡Eh, Ignasi! ¡Quiero presentarte a una amiga mía!

–Mundeta, te presento a Ignasi Costa. Ten cuidado con ella, Ignasi, es muy tierna.

Kati se marchó riendo y se encaminó hacia donde estaba la cubana, que acababa de librarse del francés; ahora corrían los dos por el jardín. Se detuvieron junto a un surtidor hecho de baldosas de color grosella con cuatro ranas en cada lado, verdes y oscuras, que se apoyaban en unas columnas dóricas. De sus bocas brotaban chorros de agua que formaban un arco e iban a parar al centro de la fuente, envolviendo la figura de piedra de un Amor que guiñaba el ojo. En las celosías de las ventanas, Kati se entusiasmaba por el estilo andaluz, trepaban dos rosales con los capullos aún cerrados. Mundeta recordó la pared repleta de rosas del Mas Roig. Se habían quedado mudos y Mundeta se atragantaba, sentía su garganta seca. Qué vergüenza, pensaba. Y qué le digo yo ahora.

–¿Nos hemos visto en algún sitio?

–Sí, usted no debe de acordarse –contenta de iniciar una conversación tan fácil–, pero yo sí, el otro día, cuando fui a llevar a mis primitas a pasear cerca del Mas Roig. Usted andaba muy lentamente, como si estuviera enamorado.

—¿Enamorado?

Seguro que acababa de meter la pata. Ahora ocurría lo de siempre. Él se libraría de ella disimulando una sonrisa por lo bajo.

—Bueno, enamorado, cómo se lo diría yo. Quiero decir enamorado del paisaje, del silencio del paisaje o de alguna cosa bonita. Contemplaba las rosas de una manera muy rara.

—Me pasa a menudo lo que usted dice. Pero no es porque esté enamorado. A veces me detengo un rato muy largo y parece que me vaya al otro mundo. Me quedo embebido por nada. Soy un contemplativo, un babieca.

—Tal vez por el olor de las rosas.

—No, el olor de las rosas no recuerda el olor tierno y suave, como la leche fresca, de una muchacha joven —la miró—, de una muchacha como usted.

—No lo crea, no soy tan joven. —Había enrojecido como una granada, de vergüenza—. Ya he cumplido los veinticinco años. Lo que ocurre es que soy muy delgada y enclenque y todo el mundo piensa que tengo sólo veinte.

—Qué tontería. —Él se reía—. ¿Quién ha dicho que usted es enclenque? ¡Qué tontería! Y sus ojos, ¿no los ha visto nunca sus ojos?

—¿Cómo quiere que los vea, si son míos? Es casi imposible: los espejos no reflejan ni el color.

—Pero hay otras cosas que reflejan la imagen, cuando es hermosa. Si usted mira el agua, con paciencia y cautamente, atrapará dos lucecitas que brillan y quieren traspasar la superficie.

–Usted habla muy bien.

–Las palabras me salen bonitas cuando hay alguien que las sabe recoger. En cuanto la he visto, silenciosa en un rincón y escuchando las soserías vocingleras de aquellos monstruos cosmopolitas, he pensado, ves, Ignasi, todavía hay un poco de vida en Valldoreix.

–Usted es la primera vez que viene, ¿no?

–Sí, mi padre es agregado de un cónsul y me he pasado media vida viajando. Pero mi madre había veraneado aquí de pequeña y se ha obstinado en que volviésemos.

Me parece que Valldoreix no le hace mucha gracia.

–Lo que no me gusta es la gente, a excepción de Kati y de usted.

–¿Por qué lo dice con tanta seguridad?

–El corazón no me ha engañado nunca. Y perdone, no recuerdo su nombre.

–Mundeta.

–Es un nombre extraño.

–Viene del campo, mi madre también se llama así, y mi abuela, y mi bisabuela. Todo el mundo cree que es un diminutivo de Raimunda, pero en realidad nos llamamos Ramona.

Parecía un sueño, sentir cómo le fluían las palabras. Un sueño irreal y fantástico cómo construía las frases sin ningún tropiezo, sin una sola vacilación. Se preguntó si no sería por la mirada de aquel muchacho, entre crispada y serena, por sus labios medio temblorosos, por su rostro, como una sombra, o por el desvelamiento, ya no tan prematuro, de las emociones que quería descubrir. Se habían apartado, los dos, hacia la glorieta que estaba detrás de la torre, y se encontraban cubiertos por un emparrado de jazmín. Lejos, las notas de una melodía negra turbaban el atardecer con una dulce melancolía.

–¿Le gusta bailar? –preguntó Ignasi.

–No sé bailar. ¿Y a usted?

–No me gusta en absoluto. Lo encuentro un preámbulo muy estúpido.

–Un preámbulo, ¿de qué?

–De una intimidad. Es como si esperásemos, resignadamente, atravesar la antesala de la felicidad.

–¿La antesala de la felicidad?

–Sí.

–Y ¿qué hay detrás?

–Esto.

Encontró candente el beso. Los ojos de él la miraban, ardientes, como enfebrecidos.

–Perdóneme, no debería haberlo hecho, tan pronto.

Un ardor vago le quemaba los senos. Recordaba las frases de la revista que había leído no hacía mucho, «*de cómo la princesa Marina de Grecia consiguió, con un ardid muy femenino, que el príncipe Jorge de Inglaterra le declarara su amor. Bajo el signo del "polissoir", a la hora bruja de la medianoche...*». Había anochecido completamente y los rayos de luna hacían resplandecer la blancura del jazmín. El hielo de los labios, el hielo que siempre la había acompañado, se había derretido. Pero habría de levantarse y marcharse, huir, la habían ofendido con aquel beso. Era la enamorada de las novelas, la heroína de las películas, era la *princesa Marina de Grecia* en brazos del *príncipe Jorge*. La vergüenza se mezclaba, dentro de su estómago, con un anhelo desconocido. Tenía que irse, demostrar, sólo con el silencio de la expresión, que se había indignado. Nada se lo impedía. Pero los pies quedaban clavados, rígidos, se veía bella, con los ojos brillantes, como dos destellos de luna, ¿dónde lo había leído? ¿Era aquello, tan corto en el espacio y en el tiempo, lo que había esperado a lo largo de toda su vida? ¿La evidencia de unos labios sobre los suyos? Hubiera querido hundirse con el primer sello de felicidad. El latir de su corazón se detuvo. Sintió la mano de Ignasi, como una fiebre, dentro de la suya. Pensó, la antesala de la felicidad es esto: tristeza y alegría. Las lágrimas pugnaban por aflorar a sus ojos, qué tontería, la primera vez que me besan y me pongo cursi. Los gritos de la negra la sobresaltaron. El francés cantaba, *oh l'amour, oh l'amour*, y se oían los gritos de Kati que les recomendaba que no quemasen los cortinajes porque eran un recuerdo de *la Chata*, íntima amiga de su bisabuela. Alguien cantaba un miserere y a través de las rendijas de las persianas del piso de arriba se entreveía luz. Eran las llamas de un candelabro que empequeñecían a medida que el miserere enmudecía. Luego un silencio los encubrió en la sombra de la noche.

—Qué tibio placer amar a escondidas...

—¿Qué dice?

–¿Conoce a Salvat-Papasseit?

–Kati me ha hablado de él alguna vez. Murió tísico, ¿no?

–Sí, escuche:

Quin tebi pler l'estimar d'amagat
tothom qui ens veu quan ens veu no ho diria
però nosaltres ja ens hem dat l'abraç
i, més i tot, que l'abraç duu follia...

–Es el poema más hermoso que he oído en mi vida.

–¿Se ha enamorado usted alguna vez?

–No –dice Mundeta.

–Si supiera lo que significa...

–¿Qué?

–Como una sensación extraña en el estómago.

–¿De sentirse mal? –preguntó, asustada.

–No, es una combinación de fisiología y de moral. Es como si tuvieras el futuro del mundo en las manos. Es como la revolución...

–¿La revolución?

–Eso: como el deber más duro, más dramático, que padece el hombre al pasar por el mundo. También nos jugamos muchas cosas. En el amor no hay violencia, ni sangre derramada, ni se muere la gente a quien quieres, ni te desaparecen los amigos; pero también hay hambre, también sientes el estómago vacío, la intranquilidad, la incertidumbre, la angustia de no saber si eres víctima o verdugo.

–Es cierto, siempre hay una víctima y un verdugo. Va contra toda lógica.

–A veces amas a la gente más absurda, más contraria. Ve usted, la experiencia está reñida con la revolución, y eso pasa también con el amor.

Por esto se ha fijado en mí, porque es absurdo, ilógico. El rumor de los versos de Salvat-Papasseit se confundía con el de las acacias y las mimosas.

...però nosaltres ja ens hem dat l'abraç
i, més i tot, que l'abraç duu follia...

–¡Mundeta! –Kati, despeinada y con las mejillas de color cereza, apareció por una esquina–. ¡Sois unos separatistas! Tenemos a la cubana como un Baco con cara de Afrodita. Ven, Ignasi, tengo ganas de bailar un *one step* contigo.

Qué odio sintió hacia ella. Kati, la mujer mundana, se iba como si nada a bailar el *one step* con Ignasi, su hombre. La hubiera arañado, abofeteado, le habría llenado la cara de golpes y de moretones, para que le quedara el rostro hinchado y no hubiera cosmético alguno sobre la tierra que le devolviera la belleza. Habría dicho a todo el mundo que se pintaba las cejas porque no tenía, le habría agujereado los ojos con dos briznas muy puntiagudas. Hubiera querido que un torbellino de viento se la hubiese llevado de un solo remolino. La bruja, la ramera con ínfulas de *femme savante*, que por un *one step* miserable le había quitado la compañía de Ignasi, su hombre. Se le acercó un francés y sintió la vaharada de alcohol muy cerca. *Vous êtes mignonne, permettez-vous?*

3 de junio de 1899

Tengo pocas distracciones. Sólo cuando bajamos a Barcelona o alquilamos un faetón para ir al cementerio a adecentar las tumbas de los papás. Me gusta pasear por Barcelona los domingos. Cogemos un coche de punto y lo dejamos a la entrada del Carrer Gran. Entonces bajamos por el Paseo de Gracia, a la hora del sol, en cuanto las brumas de la mañana ya se han disipado, hasta que llegamos a la Plaza de Cataluña y nos sentamos en La Pajarera. Como nadie nos conoce, no nos pueden quitar la piel a tiras. Me cautiva el olor que despiden las acacias y los baladres y que sube desde la Rambla. Es un olor de mar, vivo y estimulante. A veces Francisco quiere llegar hasta las Atarazanas, pero yo prefiero quedarme en el quiosco de La Pajarera y, con la música de *Las Cien Doncellas* como fondo, soñar en la libertad de los bajeles que recalan en el puerto. Me gusta la Barcelona de fuera de las murallas, abierta y europea. Entre el Paseo de Gracia y la Rambla me quedó con el primero. Pues por la Rambla camina gente despreocupada y sin trabajo, gente de toda clase, entremezclada, gente vocinglera, como las vendedoras de la Boquería, los matones de la Barceloneta, los desharrapados de la bohemia provinciana, las criadas y los soldados, las modistillas.

A veces me asquea la paz barcelonesa, esta paz soñolienta y tranquila, monótona, y deseo que pasen cosas. Es como un nudo en la garganta que me viene del estómago, que asciende una y otra vez hasta hacerme daño, como si quisiera estallar dentro de mi cerebro. Un nudo en la garganta, entrañable e íntimo, que me asoma a un abismo... Pero este nudo en la garganta, que me hace sentir más bella y original, me viene pocas veces, un día es igual a otro. Barcelona, aparte de algún atentado anarquista y, gracias a Dios, cada día hay menos, vive en medio de una placidez modélica. A mí, ¿qué puede pasarme?

Anna se había apoyado sobre el colchón floreado y parecía dormir. Otis Redding iniciaba las primeras notas de *I'm depending on you*. Mundeta oía, en la habitación vecina, las risas de Telele, Rafa y Nito. Jordi no llegaba. Quizá no vendría, quizá no le vería nunca más. Esta noche no me quiero emborrachar, pensaba, estoy cansada. Los esfuerzos por mantenerse en forma los últimos días y, sobre todo, la dureza de la asamblea de la mañana la habían dejado sin ánimos. Telele y Rafa se magrean. Lo sé porque están callados. Mientras no venga Nito a darme el coñazo. Los párpados le pesaban mucho, no habría debido venir, pensó, seguro que Jordi no vendrá, y aunque venga ¿qué? Salió a la terraza a tomar el fresco. Una calma atenta, centinela, una calma propia de una ciudad industrial, se tendía a sus pies. Cerca de Montjuïc rutilaban algunas lucecitas, como guiñando el ojo. Se sintió invadida por un silencio desahogado. Como un nudo en la garganta que no se atrevía a definir. Como unas ganas de conquistar lo desconocido, los miles y miles de misterios que llenaban las casas. Tal vez el poder era aquello, aquella ambigua necesidad de conocer las cosas y los hombres. Como si en su mano cupieran todas las preocupaciones, todos los secretos, y los pudiera romper a pedacitos, hacerlos trizas, hacerlos desaparecer y volverlos a construir de nuevo. Era absoluta en sus juicios. Sus largas e intensas conversaciones con Jordi no la habían ayudado en absoluto a relativizar la Historia. Cuando sentía aquella especie de desazón, una mezcla de poder y de dolor, deseaba tener cerca la evidencia de otro cuerpo: las manos de Jordi recorriéndole la espalda, por ejemplo. ¿Era eso comunicación? ¿Lo eran los minúsculos instantes en que sobraban las palabras porque los silencios, intensos y condensados, eran ya bastante elocuentes? No lo sabía. De Jordi había aprendido a relativizar las cosas. Todo en función de, todo en relación a las circunstancias, las condiciones. Nada es absoluto en este mundo de mujerzuelas, pequeña.

A Otis Redding también le dolía el corazón. Y Jordi no llegaba. ¿Sentiría acaso el fracaso de la mañana como algo irrevocable? No ignoraba que el prestigio de Jordi se había hundido. Intuía que aquello era el principio del fin. Los estudiantes se sentían desunidos, incontrolados. Eran demasiados golpes, demasiados bofetones para poderlos soportar con teorías. Jordi ya no sería, de ahora en adelante, el líder seguro y confiado. Prever los caminos... El odio en los ojos de Enric dolía más que las sanciones y los castigos de los de arriba... El odio. ¿Bastaban unos matices verbales para tener que elegir bandos distintos? No acababa de entenderlo. Para ella el enemigo más real era su padre. Porque representaba la posesión, el triunfo, la continua necesidad de vencer sobre los débiles, de sentirse poderoso. Contempló la ciudad: hubiera querido abarcar Barcelona entera de una sola mirada. Era una ciudad que la atraía con la fuerza de un amante cruel. Le resultaba difícil comprender por qué sentía una atracción tan intensa por aquella masa informe y desquiciada. Barcelona era una ciudad en vestigio de historia heroica. Mundeta recordaba la exaltación de Jordi cuando subían a Montjuïc o cuando iban al Tibidabo por la carretera de la Arrabassada y observaban la lenta y casi premeditada destrucción a que era condenada la ciudad. Aunque Jordi Soteras no había nacido en ella, se apasionaba por los edificios modernistas que desaparecían ante la impasibilidad de Barcelona, por las zonas verdes que no nacían jamás, por los árboles que habían de morir para dejar paso a los coches, por la inevitable soledad que irradiaba la gente que no podía pasear por sus calles. Según Jordi, la Rambla era la última reliquia a la que se aferraban los barceloneses. La Rambla significaba el único respiro de una personalidad abatida. Barcelona era una ciudad en ruinas, decrépita, aunque alzaran en ella multitud de edificios altivos y poderosos. Las paredes medianeras la roían por dentro, los humos de las fábricas la cubrían desde fuera, el mar se iba muriendo lentamente en ella. Mundeta, que a excepción de los veranos jamás había salido del radio del Ensanche, se contagiaba de las furias de Jordi pero observaba los cambios como una realidad incuestionable. Admiraba la capacidad de análisis de Jordi, que lo relacionaba todo dentro de un sistema de valores y de una ética hecha a la medida del hombre. Jordi veía en la muerte gradual de su ciudad el indicio más contundente de la aniquilación de las relaciones humanas a escala universal. Pero pese a la confusión delirante en que vivía Barcelona, Mundeta, quién sabe si por cobardía o por comodidad ancestral, pensaba que nunca se marcharía de ella. El amor que ella sentía por la ciudad era muy distinto del de Jordi. Para Mundeta la ciudad representaba el núcleo no escogido pero sí aceptado de su mundo, local y familiar. A partir de esta aceptación, Mundeta, y también todos los suyos, contemplaban con orgullo los «avances» de Barcelona y la comparaban de modo exuberante con todas las ciudades del mundo. En el caso de Jordi, sufrir por la descomposición de la ciudad era un gesto más de su desarraigo. Sufría por ella porque la quería, pero no negaba la posibilidad de abocar su afecto sobre otra ciudad, sobre otra historia. A veces Mundeta, siempre para hacerse la fuerte, le decía que

Barcelona significaba para él lo mismo que una amiga, que una compañera circunstancial. Y cuando él no lo negaba, Mundeta procuraba burlarse, pero por dentro se sentía ofendida de haber acertado en la comparación. Y en cierto modo se veía inferior ante el amigo que era capaz de amar intensamente y plenamente en cada instante de su vida. Ella estaba hecha a base de pequeñas lealtades, mezquinas, sujetas a los instintos, como si el afecto, el amor o la amistad dependieran de una ciega relación mercantil. Mientras que Jordi amaba las cosas del mundo no en relación a su circunstancia personal, histórica o geográfica, sino porque correspondían a su realidad momentánea. Mundeta notaba que partían de puntos muy distintos e irreconciliables: ella se encontraba en un universo en decadencia, sin imaginación, corrompido, cuyo único final plausible, a lo sumo, sería el triunfo de la felicidad personal. El caso de Jordi era muy diferente: él pertenecía a una familia para la cual la palabra «lucha» poseía, por tradición, un significado optimista y ascendente.

No, ella no se iría jamás de Barcelona. Ahora, en el silencio templado de la noche barcelonesa deseaba sentirse tragada, engullida, dentro de su personalidad mortecina. No ser nadie dentro de un hormiguero de nadies. Oyó a Anna reír pero no hizo caso. Un aire suave, marino, le acariciaba el rostro. Las manchas de luz de las cercanías de Montjuïc se iban apagando lentamente. El camión de las basuras arrastraba por la avenida arriba la pesada masa.

Goteaba un balcón donde acababan de regar las plantas. Los golpes secos del bastón del vigilante nocturno se entremezclaban con el tintineo de sus llaves. Mundeta cerró los ojos y soñó que nada la sostenía bajo los pies: como si palpara la inmensa fortuna de existir. Y se vio como a una figura titánica y necesaria.

9 de junio de 1899

Ayer celebramos mi aniversario. He cumplido veintitrés años. Soy una mujer madura con una vida muy corta. Quiero decir que tengo poca vida para contar. Cuando repaso este dietario, me da vergüenza ver la mediocridad que exhala.

Y sin el hijo que no nos llega. Mientras comíamos en Casa Justín –macarrones languedocianos aliñados con trufas, conejo de bosque con *romesc* a la catalana, champán francés– veía los ojos de Francisco, diminutos, como de zorra, que se iban, se empequeñecían. A mí los vapores se me habían subido a la cabeza, las mejillas se me encendían, parecía que les hubiera tocado el sol. Francisco vive cada día más encogido, con los ojos descoloridos, palidece por la menor causa.

Estas celebraciones siempre terminan igual. Cuando bebo champán francés, las burbujas me llenan el cerebro y me trastorno, me excito.

Busco emociones extrañas, insólitas. Entonces ocurre que la carne me arde bajo la piel, como si alguien atizara en ella un fuego terrible, y espero de Francisco ternura y amor. Pero ¡él me irrita con su manía del *Vals de Coppelia*! No se le ocurre nada más que esto, tócame el *Vals de Coppelia*, mi pequeña mariposa, me dice; y yo me levanto de un respingo y me voy a cenar sin hacerle caso.

Francisco y yo casi no nos miramos cuando estamos en la cama. Me acaricia a oscuras, por nada del mundo quisiera luz. Sus manos tiemblan y sudan mucho. Se me aferra como una garrapata y siento junto a mi oído su resoplar. Su aliento despide los olores del estómago. Yo me aparto y él se detiene. Ya no siento su jadeo. Francisco, entonces, se da media vuelta y se duerme. Yo me embeleso ante los rayos de luna que se reflejan en la luna del armario de caoba. Francisco siempre se duerme muy pronto –a veces da algunas cabezadas en la mesa justo después de la cena– y ronca. Francisco ronca toda la noche.

Por mi aniversario me ha regalado un anillo que hace juego con los pendientes de rubí. También me ha dedicado un poema:

Ramona, dulce nombre de mujer,
amor y reverencia
te prometí al conocerte,
y para que puedas convencerte
te amaré hasta el fin de mi existencia.
Ramona, amable y dulce placer
señora de mi corazón,

de todos el mejor don,
que con tu dulce presencia
das de la flor su ausencia.
Quisiera poderte dar
mil estrellas y el mar
y no dejarte de amar
en toda la eternidad.

Tu amor que te adora:

FRANCISCO

–Mundeta, ven.

Nito la miraba desde el rincón más oscuro de la terraza. Tenía la voz ronca y arrastraba las sílabas. Le noté incómodo.

–Mundeta, anda, sé buena chica y vente conmigo.

–Cállate.

–¿No me dirás que esperas a Jordi?

–Cállate, te digo.

–Porque si le esperas, vas lista. Ha encontrado compañía.

Se dio la vuelta. Contenerse o hacerle daño.

–Si asomas tu preciosa cabecita dentro de la habitación de Anna observarás una escena que te gustará mucho...

–Me da lo mismo. Jordi es lo suficientemente libre para ir con quien le apetezca. A ti no te importa.

–Vamos, anda, eso no te lo crees ni tú. Eres

una moza celosa y fiel. Sólo has ligado conmigo cuando tu queridísimo hombre hacía la mili. ¡Y me diste muchos quebraderos de cabeza!

–Cállate, imbécil. Jordi y yo hemos hecho un pacto y...

–Mentira.

–...y que hoy esté con Anna no quiere decir nada.

–Mientes. Venga, vente conmigo.

Una ramera, pensó. Una ramera hecha a la medida de los universitarios.

–Has de venirte conmigo, créeme. Nos lo pasaremos tan bien como ellos.

–Me importa un bledo lo que hagan ellos dos.

Nito la rodeó con un brazo por la cintura. Entraron, buscaron, en la penumbra, el colchón. Cambió el disco de cara. Otra vez Otis Redding decía que le dolía el corazón. *Heart-cor.* Dos monosílabos. Un magnífico y exótico juego de monosílabos. Bebió de un solo trago un vaso de whisky. Y luego otro. Un desasosiego de vasos de whisky, pensó. Nito la observaba con insistencia.

–Han detenido a Enric.

–¿Sí?

–Jordi parecía muy jodido.

–¡Ah!

–Cuando ha entrado se ha puesto a hablar sin parar. Yo estaba con Anna porque Telele y Rafa estaban demasiado acaramelados. Al principio Anna se reía porque no entendíamos nada de lo que decía. Sólo palabras inconexas como «Enric» y «nosotros» y «hasta aquí somos lo mismo» y «esto no vale». Estas últimas palabras las ha repetido varias veces. Luego ha dicho que mañana habrá más detenciones. Deberías esconderte.

—No pienso hacerlo.

—Jordi ha dicho que él se marchaba por unos días. Ponía cara de estar harto.

—Sabes muchas cosas.

—Más que tú, reina.

Una puta, la Anna. Una puta que se aprovecha de las circunstancias.

—Ponme más whisky.

—Niña, acabarás trompa. Ya te has tomado tres, como Jordi.

—¿Iba borracho?

—Pocas veces le he visto así. Nos hemos dado cuenta porque se ha puesto a vomitar sobre la alfombra. Anna se lo ha llevado.

Una puta, una puta, una puta.

—Y a mí qué me importa que Anna se lo haya llevado o no. Escucha la música.

—Acércate, Mundeta.

—Déjame tranquila.

—Mujer, no seas así.

—Yo no voy con el primero que se me pone a tiro.

—Te han tocado donde te duele, ¿eh? Querrías estar en el cuarto, ¿verdad? Y yo, ¿qué? Tendrías que agradecerme que me conforme con segundos platos...

—Imbécil. Me da igual.

—Embustera.

Sentía una calentura que le quemaba el cuerpo. No podía sostener las manos. Tomó una cubierta de disco y empezó a darle vueltas.

–Te he dicho que me da igual.

Lo repetía insistentemente. Un vaho tenue empezó a envolverla.

–Vamos, piensa un poquito en mí.

La mano de Nito sobre su muslo. Un áspero contacto.

–Me da igual, me da igual, ¿sabes?

–Si pensaras en mí. Yo no estoy trompa.

La mano avanzaba. Primero cautamente, con discreción. Luego exploró el terreno con más seguridad. La mano que la atraía, la mano de otro.

–Si quieres, te demuestro que me da igual.

–¿Cómo?

–Ahora lo verás.

Se levantó. Pareció, por un momento, que volvía a caer sobre el colchón. Se reincorporó, aunque el suelo parecía confundirse con el techo. Una puta, una puta, una puta.

–¿A dónde vas?

–Ahora lo verás.

Avanzaba a tientas, apoyándose de vez en cuando en las paredes. Dio una vuelta sobre sí misma y estuvo a punto de caerse.

–¡Mundeta! ¡Estás borracha!

–Ahora verás cómo me da igual.

–Ven mujer, no hagas tonterías.

–Ahora verás.

De la habitación de Anna salía una luz que la guiaba. Atravesó el pasillo. Oyó, a través de una puerta cerrada, gemidos de Telele.

–¡Mundeta, te digo que vengas!

Nito la agarró por el hombro derecho. Ella hizo esfuerzos para librarse.

–Déjame, te estoy diciendo.

Una puta, una puta, una puta...

–¡¿Quieres venir?! Por el amor de Dios, Mundeta, no hagas tonterías.

–Estás temblando, miedoso, más que miedoso. ¿No hemos quedado en que te he de demostrar que me da igual?

–Ya me lo creo, Mundeta, pero por Dios...

–Por Dios y la Virgen María –se rió–, y por todos los santos. ¡Dominus vobiscum! ¿Sabes? ¡¡¡Me da igual, me da igual, me da igual!!! ¡¡¡Me da, me da!!!

Abrió la habitación con furia. Los ojos empañados y tristes de Anna la miraron un instante. Dos cuerpos sin estrenar, pensó. Como dos cuerpos tiernamente abrazados, dándose toda una vida o toda una muerte, quién sabe.

–¿Lo ves –chilló– como me da igual?

Absurdas, débiles, eran las lágrimas que le caían por la barbilla. Dio un empujón a Nito y echó a correr. La puerta de la calle no estaba lejos. Poder dar un buen portazo.

La Telele, desnuda, salió al pasillo.

–¿Se puede saber qué pasa con estos gritos?

–Es Mundeta –oyó que decía Nito, desconcertado–. Ha enloquecido de repente.

2 de enero de 1900

Las iglesias están llenas hasta los topes porque hemos cambiado de siglo y la gente tiene miedo. En los Josepets hacen Hora Santa todos los días y las mujeres velan el sagrario. El rector dice que roguemos por nuestras almas y las viejas sollozan porque dicen que el mundo se acaba, que estamos en la pendiente de bajada. Yo no tengo miedo. Más bien me produce una impresión rara, eso de cambiar un siglo por otro, el ocho por el nueve, casi sin darnos cuenta de ello. Es como si me obligasen a llevar cien años encima de las espaldas. Y me veo vieja.

Ayer nos visitaron los Forns y los Domingo. Tomamos el té en el salón de estilo porque Francisco dice que hemos de quedar bien con el señor Domingo, que también es prestamista y está muy bien relacionado con el Ayuntamiento de Barcelona. La señora Domingo tiene cara de ladina, los ojos de merluza y la boquita tan pequeña que parece una cereza. Viste de una manera muy cursi y cruza las manos sobre la falda como si estuviera a punto de rezar. Un hijo suyo se quedó paralítico no hace mucho, y ella repite que es muy feliz porque Dios le ha mandado una prueba tan grande como ésta. Los ojos le lagrimean sin parar. Me irritan las mujeres que son tan sumisas y que representan el papel de víctima. Hacen teatro. Todo lo que en Pauleta es vanidad, en la señora Domingo es simpleza.

El señor Forns se pasó toda la tarde de ayer

discutiendo con el señor Domingo si el siglo empezaba con el 1900 o con el 1901. Siempre que han coincidido en casa discuten por una cosa u otra. De política, porque el señor Domingo es muy «catalanero» y de la Unió Regionalista, de dinero o de si la ópera italiana es mejor que la de Wagner. En esto último es en lo único en que Francisco participa. Cuando habla de Wagner se exalta y lo defiende hasta quedar exhausto. El señor Domingo, después de quedarse un rato enfrascado, llegó a la conclusión de que si el siglo empezaba el año próximo, entonces el 1900 no existe. Dice que de existir habría sido un año vacío, la página más blanca de la historia. A veces encuentro que los hombres hacen unas reflexiones muy bobas.

Los días que siguieron fueron distintos. Menudearon los paseos por el Mas Roig, recuerdas, Ignasi, qué risa el primer día que te encontré allí: boquiabierto, aún no he comprendido por qué, ante las rosas de la pared. Fue distinto en el verano del treinta y cuatro. A veces hacían una escapada a Barcelona y se introducían por las callejuelas que rodean Santa María del Mar. Allí, la mescolanza de olor a mar, de alquitrán, con el de pescado frito que salía de las tabernas les hacía imaginar que eran unos amantes que vivían en el puerto de Marsella. Los ruidos de los días de trabajo, el griterío de los chiquillos, los juramentos de los carreteros, las risas de las mujeres tendiendo ropa en los balcones, los adoquines desiguales de los pavimentos, el humo de las cocinas, los ladridos de los perros, los nombres de las calles, Tantarantana, Assahonadors, Blanqueria, Sabateret, Cremat Xic y Cremat Gran, producían en Mundeta una extraña sensación de misterio, de aventura. Cuando iban a parar a la Rambla y veía el bullicio de los primeros extranjeros con sus vestidos de muchos colores y sus mujeres con los pantalones de alas anchas, las vendedoras de la Boquería y las tiendas repletas de verduras y aves, los marineros, las viejas enlutadas, los pintores que pintaban el indefectible paisaje de la Rambla, los señores con sombrero y bastón, los curas y las mujeres de la vida, todo en una mezcla exultante de locura y de resignación, Mundeta pensaba que Barcelona era una flor abierta y casi cosmopolita que se deshojaba *in aeternum*, llena de belleza y de monstruosidad; y que más que una ciudad, parecía una promesa de ciudad. Se paraban ante una florista, e Ignasi le regalaba un clavel rojo como la sangre, un solo clavel que le producía un cosquilleo en todo el espinazo, y entonces apretaba la mano de Ignasi muy fuerte porque creía que Ignasi, a pesar de sus ojos intensos como llamas, no era más que una sombra que algún día se difuminaría entre las brumas de Barcelona.

Mundeta se había vuelto muy habladora y disfrutaba contando la vida barcelonesa a Ignasi. Él la conocía muy poco, tan sólo a través de viajes muy de vez en cuando, y sobre todo ignoraba los detalles de vida pausada y oscura que acontecían en las ciudades, año tras año, y que sólo perciben quienes las habitan. Mundeta le hablaba de los crepúsculos de color de yema que se suspendían por encima del Tibidabo, como una aureola de santo, o de cuando el viento procedente del mar helaba las plantas de los balcones, o cuando la lluvia fina, como una interminable gasa, caía durante días sobre Barcelona. O cuando la tormenta se llevaba toda la suciedad y quedaba una atmósfera nítida, con un azul esplendoroso y un vientecillo que acariciaba las hojas de los árboles. Mundeta le hablaba de los bocadillos que tomaban en La Valenciana, jamón y queso, con cuchillo y tenedor, o del chocolate del Núria, o del Carnaval que bajaba en rúa por el Paseo de Gracia hasta la Rambla para ir a morir a la calle Fernando. Ella nunca había llevado máscara, pero una vez se había disfrazado de hada madrina de la Cenicienta y otra vez de María Antonieta, y su madre contaba que amigas suyas habían ido a las fiestas «fascinantes» del Círculo Artístico del Liceo, adonde iban mujeres de vida incierta, amantes de políticos, que llevaban los pechos salidos y las parejas se desapareaban y había un desorden de pasiones, de arrebatos efervescentes de amor y de. Ignasi se reía y le decía, parece que estés enamorada de Barcelona, Mundeta. ¿No te gusta a ti?, le preguntaba ella. Claro, pero no tanto como a ti. Ten en cuenta que yo he viajado mucho, y los ojos de ella corrían detrás de sus historias de Viena, de Florencia y, sobre todo, de Budapest. Porque Budapest es la ciudad más bonita del mundo. ¿Más que Viena? Más que Viena. Viena vive de espaldas al río, aunque no lo parezca, y a mí sólo me atraía el

Prater porque allí podía pasearme solo, pero los palacios neogóticos me parecían hechos de cartón-piedra. Budapest sonríe al Danubio, se mira en él, no hace caso de las monstruosidades arquitectónicas que le han dejado los austríacos. Viena se envanece de su mal gusto, no tiene el menor sentido crítico. Es toda ella almibarada, melosa, pero no es más que una ficción. Los edificios que muestra con voluptuosidad, como el Rathaus, la Catedral o el Parlamento no son más que restos de un pasado que a mí no me despierta ninguna clase de nostalgia: de un imperio que no supo aglutinar otras culturas, que sólo se preocupó de ostentar lo que no ha sabido conquistar a través del progreso sino por la fuerza. Ningún detalle indica una renovación arquitectónica, una abertura, a excepción de los Rings... y de la música. A Mundeta le daba vergüenza tener que confesar que sólo conocía de Viena los panecillos y los valses de Strauss.

6 de febrero de 1901

Desde que vivimos en el piso de Barcelona me veo más joven, más bonita. Francisco también pone otra cara. Volvemos a dormir juntos y le toco el piano cuando me lo pide. Me gusta la nueva casa, sólo me molestan los olores de toda clase de comidas que penetran por el patio interior y la oscuridad del pasillo. La casa está orientada hacia el mar y entra mucho sol, los cuatro balcones están llenos de plantas, de anémonas, azucenas, geranios, hortensias, claveles, alboholes. Mirando desde la calle, destacan por encima de la tribuna del principal porque rebosan y sobresalen colgando las esparragueras y las yedras. También he comprado pájaros, jilgueros, canarios y un periquito de color verde pálido que me llama: «*Ramona ven.*» A excepción del armario de caoba, de los cuadros, de las mecedoras y de los muebles de los salones, hemos cambiado la decoración de arriba abajo. Hemos conservado el armario de caoba porque nos lo dio la tía Climent y yo no sé desnudarme ante otra luna. Y Francisco se ha obstinado en trasplantar las palmeras; dice que son un hermoso recuerdo de Gracia. La calle de Córcega es airosa y barcelonesa. La recorre una barahúnda de gente porque desemboca en el Paseo de Gracia. Está lleno de «cubanos» y de gente que vive de rentas del campo. Y no les gusta el campo sino la ciudad.

Ahora vamos cada día a caminar por el Paseo de Gracia y empezamos a conocer las caras de la gente. Son las mismas que encontramos en los conciertos o en el Liceo. Son gente del Ensanche, bien vestida y moderna. Todos los ademanes, las miradas, los saludos, son propios de barceloneses nacidos más allá de las murallas. El Paseo de Gracia es el centro de quienes viven en buena posición. A veces nos sentamos a tomar el aperitivo en La Punyalada y yo no me pierdo los bastones, los chalecos, las sombrillas, los sombreros, las joyas, los perritos de los que caminan por delante de mí. Francisco no desentona, con su chaleco y la nueva dentadura postiza. Pasan tílburis tirados por caballos de raza, de piel negra y nalgas relucientes. En su interior veo, entre las gasas de los visillos, barbas grises, magníficas, recortadas en rostros de belleza demacrada o altiva. Son los de la aristocracia.

Cuando estaba frenética caminaba encogiendo las espaldas. Había cerrado la puerta de la casa de Anna con un arrebato de furia. Bajó las escaleras con precipitación. Corría sin dejar de oír los gritos desacompasados y desazonados de Nito detrás suyo. Él la siguió un buen rato hasta que ella consiguió coger un taxi. A la Carretera de Sarrià, dijo.

La Carretera de Sarrià, eje del barrio del mismo nombre, mitad cosmopolita mitad conservadora, perno de desocupados y de atareados, rancia y desvencijada, se abría a los ojos de Mundeta como una incitación al desahogo. Empezó a pasear por una calle ancha y solitaria. «Tanganika», «Acapulco», «Safari» clamaban unos rótulos luminosos. Le dio vergüenza entrar. El silencio de las calles se quebraba de vez en cuando con el ruido de traca de un sport impertinente. Lejos, una gramola iniciaba las notas de *Cuando salí de Cuba*. Hay que pasar por todas las experiencias, ésta es tan buena como cualquier otra. Si Anna era una puta, por qué no ella. Percibía en un parpadeo la luz de los faroles. Las brumas del whisky se esfumaban. Es como ir de putas pero al revés. Clac, clac, clac, el repique de sus tacones, un repique sordo como los golpes de un martillo, se confundía con el *Cuando salí de Cuba* y un *Congratulations* lejano. Nos podemos morir de hambre pero no de las privaciones que conlleva el sexo. Todo es cuestión de no echarnos a perder a nosotros mismos con estoicismos gratuitos. Había llevado los pantalones toda la semana, pero aquella noche estrenaba un vestidito mini de algodón. Había acertado: podía mostrar los muslos de manera convincente y así sus intenciones eran claras. Mira, Mundeta, soy amigo tuyo, requetetuyo, pero eso del amor puedo hacerlo con cualquier mujer. Son dos cosas distintas. No, pequeña, no es necesario que me digas que no vaya con las putas. No sabes hasta qué punto queda una insatisfacción y un mal sabor de boca, después. Algunas comen cacahuetes. Hacía balancear el bolso que él le había traído de Marruecos. Un bolso de cuero, con fleco. Un bolso que se confundía con la sombra de su cuerpo. Veía una sombra grácil, joven. No puedo aguantarme las ganas. Si salgo con una mujer es como si saliera con un amigo. Pues claro que te quiero, Mundeta. Clac, clac, clac, ruido de caminar por el mismo pavimento. Tal vez eran diecinueve las veces que lo había recorrido de arriba abajo. Y si luego resulta que el amigo es una mujer y me voy a la cama con ella, da igual, niña. Un coche disminuyó la marcha y luego se detuvo. Arrancó nuevamente al mismo paso que ella. Me llama, no saber qué hacer, una profunda vergüenza. Uno, dos, tres: si no lo hago ahora, nunca. Hay que vivir todas las experiencias. Es una oportunidad muy válida. Se subió a un deportivo, un «Alpine» rojo, y miró de reojo, como con desgana, al hombre que lo conducía. Un hombre entre joven y maduro, bien peinado, un traje de última moda, una cara relajada a base de masajes: la cara conocida de quienes mandan en el trabajo y en casa. ¿Tendrá otros coches, además del deportivo? Podemos ir a donde usted quiera, por mí no se preocupe. Me parece que has metido la pata, chica. Son barrios de clase. Aquí la gente no se trata de usted. ¿Notará algo? Es capaz de pensar que he huido de un colegio de monjas. He de comportarme como una habitual. Un gesto despreocupado al cruzar las piernas, teniendo en cuenta, no obstante, que debo insinuar más de lo que tengo. Una cosa son promesas y otra realidades. Le pido un cigarrillo. Rubio, eso mismo. Me parece perfecta la idea de ir a un *meublé* de la Plaza de Lesseps. No, no lo conozco. Pero el de la Travesera me lo conozco muy bien. Ya estamos: has caído en una ingenuidad de las tuyas, Mundeta.

El «Alpine» enfilaba, rápido y seguro, la calle Major de Gracia. Tendré que pasar el trago de un *meublé*. Pero mañana dejaré boquiabierto a Nito: verá de qué soy capaz. Me admirarán y pensarán que soy una mujer emancipada. Y que no los necesito para nada. Sé arreglármelas yo sola. No como ciertas putas universitarias. Un terrible mal sabor de boca. Hay que tener muy claro eso de los instintos satisfechos, Mundeta, no somos de piedra. Las habitaciones del *meublé* son como las de un hotel vulgar: un pasillo con puertas a cada lado. Mucho silencio, poca luz. Nada de alfombras de un rojo inglés brillante, ni cortinajes amarillentos de tantos años de deseo, ni música, ni espejos. Mi temperamento imaginativo me había hecho pensar en un ambiente estilo Faulkner o Henry Miller. Esto no es literatura. Cuatro paredes peladas, una cama y un bidet. No puedo negar que aún conservo el pudor de los primeros años de educación. Ay, me parece que el tío se ha dado cuenta de mi procedencia y no se acaba de fiar. Más vale ir al grano, no sea que le dé por querer averiguar mi origen. Ésta es una buena manera de tener pasado: lo miraré con cinismo. O ¿tal vez es mejor fingir que llevo una vida doble? Empieza el sainete. Me desnudo con pesar. ¡Más salero, muchacha!

Me parece que no he quedado del todo mal. Con una pizca de displicencia y de desgana, como algo que ni me va ni me viene. ¿El precio, dices? Vaya, un detalle que se me había escapado. La leyenda de los barrios altos habla de precios realmente exorbitantes. Pero es difícil valorarnos el propio ingenio. Se volvió a vestir. Afortunadamente no hacía demasiado frío y no llevaba prendas de vestir complicadas. Por otra parte, tampoco necesitaba. No pierdas la calma, mujer, no te pongas colorada. Hasta he fingido que sentía algo: esto le gusta mucho. Debo confesar que, por una noche, mi ninfomanía se calmará. ¿Ves?, ya no recuerdo nada de antes. ¿Mil quinientas pesetas, dices? Ahora no sé si debo hacer una mueca desaprobadora o pronunciar un «correcto» con tono frío y distante. Bueno, digo, es lo que suelo cobrar por tan poco rato. No hace falta mi nombre, supongo, te he dejado satisfecho, ¿no? Es capaz de engolosinarse, el hijo de su madre.

Salieron. La noche se confundía con las primeras claridades que anunciaban el alba. Caía una llovizna y se oía el chapoteo de unos pasos. Se veía una niebla baja que descencía por la ladera del Tibidabo. El amanecer se estiraba en escamas grisáceas. Ahora la ciudad era más silenciosa que antes. El hombre del «Alpine» la dejó en la esquina de su casa y el coche, seguro, veloz, potente, cogió la calle Aribau hacia arriba. El ruido del motor se fue amortiguando en la penumbra. Aquí paz y allá gloria, pensó. Cogió los dos billetes y, lentamente, los rompió. El aire fresco de la madrugada la había despejado del todo. Respiró hondo. Cuando dos se aman, Mundeta, se llevan pedazos de recuerdo el uno del otro. Pedazos, pensó, mientras veía los trozos de papel arrugado que caían en un charco, pedazos de recuerdo.

15 de febrero de 1901

Debajo mismo hay dos tiendas en los sótanos y, en medio, el portal grande de nuestra casa, que está en la parte donde da el sol. Me paso el día entero en el balcón, regando las plantas, viendo cómo la gente pasa, cómo habla, cómo se detiene ante las tiendas. Haría apuestas para adivinar quién ocupa los coches, la vida de la gente que baja de los tranvías. Quiero decir que me gustaría saber sus historias. A veces me las invento como si se tratara de personas conocidas.

Delante de casa hay una especie de fonda para estudiantes. La calle de Córcega es mucho más ancha que las callejas de Gracia, pero a mí me basta para no dejarme escapar nada de lo que en ella ocurre. En el balcón de la fonda veo cada día a un joven de figura esbelta. Viste sencillamente pero con elegancia. Cuando sale a la calle lleva un bombín de color negro que le hace juego con la americana, de muy buen corte. Sospecho que es de buena familia. No tiene la pinta de un indiano cualquiera, pero tampoco la de un pollo pera, ni la de un sinvergüenza de esos que buscan la amistad de una mujer por diversión. Su barba es fina, rubia, terminada en punta. Su pelo es rizado como el de los amorcillos del recibidor. Adivino que sus ojos son vivos, chispeantes, a ratos tristes, y que los labios le deben de temblar delante de algo bello, unos labios ardientes, unos labios que hablan por un corazón fogoso, unos labios...

Había de pasar un buen rato antes de que los objetos de la habitación recobrasen la imagen conocida. Se iban perfilando poco a poco, eran ellos, los mismos, líneas menos difusas, los libros, los carteles, Che Guevara, los Beatles, Lenin, los montones de propaganda, el coñac que escondía bajo la cama y que ahora tenía al lado, los discos: *There are those who do not imitate*. Bob Dylan, magistral Bob, intocable Bob, fiel Bob... Estaban allí todos los objetos que le habían demostrado una insobornable lealtad en las largas noches de desesperación, cuando los llantos del sexo no hallan consuelo, o cuando regresabas a casa, recuerdas, Mundeta, después de una discusión con Jordi, apasionada, absoluta, de aquellas que te parecen abarcar el mundo entero; o después de una celebración eufórica cuando habíais vencido provisionalmente y os ibais a tomar unos vinos a Los Cuernos, mientras comentabais la jugada del día siguiente, infundiéndoos, con respeto, una innata seguridad teatral. Os moríais de miedo, no es necesario que te lo diga. Temíais al mañana, pero había que correr, precipitar los acontecimientos, porque la historia, más pragmática que vosotros, os quería atrapar.

La juerga de ayer. Aquel tipo tan asqueroso, su sudor... Volvió a sentir una especie de despecho frenético, un temor extraño, como si se tratara de decir un adiós definitivo a las cosas del mundo. Cuando la noche anterior se durmió después de haberse tragado furiosamente las lágrimas amargas de la soledad, hubiera querido no despertarse, no palpar otra cosa que el vacío de lo que es eterno. Era el final de una etapa que había de concluir irremediablemente: el prólogo de la próxima correspondía al hombre del *meublé*. Por debajo de las sábanas acarició su cuerpo: un cuerpo joven que chillaba lleno de vitalidad. Un cuerpo que mañana reclamaría otro cuerpo, y otro, y otro, y otro, y siempre con la añoranza del anterior. Pero hoy no tenía ninguno y quería conservar el último contacto de Jordi, su aliento, el contacto de cada día en que la había amado, en que la había preferido, en que la había salvado. Pensó en los cuerpos que el curso de la vida condena al silencio de la ignorancia y del desconocimiento, en los cuerpos que nunca gozarían de más belleza que la propia, que nunca sabrían qué significa sentirse, aunque sea un solo instante, el ser más deseado de la tierra. Sus manos recorrían las zonas que un día Jordi había elegido para besar. Las recorría mientras soñaba en todos los posibles amantes que un día las volverían a amar. Y rechazó con asco las escenas de la noche última. Gracias a la fuerza del alcohol había ido con aquel estúpido, con aquel hombre con cara de simio. Un hombre vulgar. Recogió el recuerdo de su perfume *for men*, un perfume de hombre seguro, al día, de un hombre que busca a una mujer para sentirse aún potente. Durante la noche habría querido amarle rabiosamente, con el amor descontrolado de cuando se ama sin una razón inmediata. Le habría matado, se lo habría tragado, lo habría descuartizado, como habría hecho también con Jordi. Lo habría destruido para después, juntos, nacer de nuevo. Como con Jordi, pensó de nuevo. Jordi, a quien después de la pasada noche no quisiera ver nunca más, quisiera que fuese un pedazo de recuerdo, un fragmento de memoria, la parte más dulce de una bella historia. Por mucho que volviera a amar algún día, ya no sentiría el estremecimiento de muchacha vacilante y primeriza, la oscilación entre ofrecerse desnuda del todo o rechazar lo que el cuerpo clama para ti. Porque en esa oscilación, oculta y real, se mezclan mil años de historia, mil años de pasión echada a perder.

Y vendrá un día en que la figura de Jordi se desvanecerá en el tiempo. Y era desesperante sólo pensar que su imagen llegaría a ser idéntica a la de gran parte de la humanidad. Una imagen moldeada con las manos de la indiferencia. Tal vez se encontrarían un día en un bar, o paseando, o viendo la última película de Losey o de Visconti, y le diría, hola Jordi, cómo estás, cómo te va la vida. Y comentarían las tonterías de moda o las noticias políticas más importantes o el éxito de sus novelas y luego cogerían el autobús, o el coche, y se dirían adiós porque tendrían prisa por volver a encontrar su cotidianidad. Era desesperante sólo pensar que no quedaría ningún contacto, ninguna erosión visible, como la que queda en los cantos rodados por la fuerza de las aguas. Cuando el recuerdo es candente, como ahora, cuando hace daño, debería desaparecer, derretirse. Era una cuestión de supervivencia. Pensó en todas las veces en que, engañando a la familia, se habían ido fuera de Barcelona. Por el mero hecho de dejar atrás la ciudad y avanzar hacia el horizonte, con aquella mezcla de aventura y mentira, le parecía conquistar la tierra con libertad. Como la vez en que fueron a Ripoll y él le enseñó, orgulloso, todas las extrañas significaciones de la puerta del monasterio. Las figuras del siglo XII, misteriosas y simbólicas, le excitaban. Los caballeros con arneses, las escenas bélicas, los apóstoles, los animales, las flores, toda la primitiva y multiforme ornamentación le sugería, decía él, otros mundos. Mira, añadía con superioridad, el abad Oliba condensó en el *scriptorium* de Ripoll buena parte de las raíces de nuestra cultura. Qué te has creído, nosotros estamos empapados de tres civilizaciones, éramos el eje de ellas. Tienes que conocer el país, las chicas de casa bien sois unas ignorantes. Sólo preocupadas por vuestros problemas sentimentales, irracionales, pensáis que las cosas de este mundo llueven del cielo, como un regalo. No es culpa vuestra, pobrecitas: os lo han dado todo hecho. ¿De qué os vale saber la historia de los godos o, pongámonos en otro nivel, de las corrientes más revolucionarias de la crítica literaria, si no sabéis quién era el Aimador de la Gentilesa? Y cuando fueron a pasar tres días en Sant Joan de les Abadesses, a la casa de Nito, él le habló entusiasmado de Maragall. Aquí escribió *la vaca cega*. ¿Aquí?, le preguntó ella. No seas tarugo, quiero decir que se inspiró en Sant Joan. El lugar exacto no tiene interés. No te creas que Maragall consiste en cuatro versos y basta. También hacía periodismo, y del polémico. Y entonces se producía uno de aquellos momentos en que Jordi callaba y miraba al frente sin ver nada. Al cabo de un buen rato decía: yo también seré periodista. Pero no de los que escriben gacetillas y están sujetos a un horario y a las idioteces del director de turno, no creas, yo seré de los que se pasean por el mundo, viven en el mundo y luego cuentan todo lo que han visto. Impregnarme del oficio de escribir, padecerlo como la única cosa importante de la vida, como Pla. Y añadía socarronamente: seguro que tampoco has leído nada de Pla. No, contestaba, pero. Ah, ya me conozco tus peros. Estás empapada de literatura latinoamericana. Fíjate bien, pequeña: nada de lo que llevas encima es tuyo, quiero decir que te pertenece tanto a ti como a los demás. Mira a tu alrededor: llegará un día en que tal vez no podremos expresarnos con las palabras que sabemos, pero no habrá nadie, nadie de este mundo, que nos haga olvidar lo que somos. Y después de reñirla y de burlarse largo rato de ella, como hacía tan a menudo, se iban a un prado y se tumbaban. Entonces la miraba con aquella insistencia que le producía desazón: me gustas mucho, Mundeta, mucho. Y a ella le parecía que los verdes del prado relampagueaban, como en un estallido de colores de toda clase, y que el azul intenso del cielo, un azul armoniosamente real, y el hormigueo del río, y la calma del aire, y los cencerros de las vacas emitían un único sonido, que le confirmaba que todo aquello era su país.

3 de marzo de 1901

Hoy le he visto, le he visto y me ha sonreído. Yo iba a ver a los enfermos del hospital de la Santa Creu con la señora Domingo y me lo he encontrado en la Rambla. Estoy segura, me ha sonreído.

10 de marzo de 1901

Dicen que amar es morir. Necesito morir de amor. Hoy el estudiante me ha repasado el cuerpo mientras yo regaba las plantas del balcón. Me he puesto nerviosa y, sin querer, he tirado agua de la regadera sobre la señora del principal, que en aquel momento abría los postigos de la tribuna. Me ha regañado y no he tenido fuerzas para contestarle.

15 de marzo de 1901

He ido a misa. Él me esperaba fuera de la iglesia de los Carmelitas, con su sonrisa, y me ha seguido hasta casa. Hacía mucho tiempo que no me veía a mí misma tan bella, tan plena y tan pura. Dios es amor.

25 de marzo de 1901

Tengo miedo a desaparecer, a ir al infierno. El estudiante tiene los cabellos rizados como los amorcillos de mármol del recibidor y las mejillas rosadas como la piel de la Casta Susana del grabado que tenía en la alcoba del piso de Gracia.

3 de abril de 1901

De todas maneras, me parece que Dios es bueno. Y me perdonará. Hoy se ha parado detrás de mí mientras yo miraba los torteles del Forn de Sant Jaume. Yo iba con Pauleta. Ella ni siquiera se ha dado cuenta. He sentido la fuerza de su mirada sobre mi nuca. Como un extraño escozor. Y un vacío en el estómago.

Ignasi le apretaba la mano mientras le recitaba algún poema de su cosecha. Aunque éstos eran escasos y abundaban los de Salvat. Habían dejado Barcelona y se paseaban por los alrededores de Valldoreix, por la carretera de la Arrabassada. No diremos a nadie que nos queremos. Parecía como si la canícula sintiera pereza de irse pues el tiempo otoñal aún no llegaba. Qué delicia querernos a escondidas, y se sentaban bajo unos almeces y se besaban. Una calma espesa, agonizante, dominaba el verano del treinta y cuatro. Una calma densa. Ni una pizca de niebla en la carretera de la Arrabassada. Ni una hoja se cayó, ni un soplo de viento, ni una mota de polvo en la carretera de la Arrabassada. Nadie sabrá cuántos abrazos nos dimos, los besos que nos regalamos. Nadie podrá contarlos.

Los días que siguieron fueron distintos. Era otra vida, la suya. Era una vida sólida, como la piedra o como la madera, o como las astillas de madera vieja, que se encienden ante la primera chispa de fuego. Mundeta, se reía él, nadie sabe que nos tuteamos. Y es como si las centellas volaran cielo arriba, por encima de sus cabezas, extendiéndose como una miríada de luces. Nos mofaremos del mundo entero. Todo el mundo empequeñece, mira, si no, las casas de Valldoreix; si tendieras la mano podrías aplastarlas. Y ella tendía la mano y las aplastaba, la casa de Kati, la de Patrícia, la de tía Sixta. Él se reía de la colonia de veraneantes, les llamaba estultos y ella preguntaba qué quería decir estultos. Y él se lo explicaba mientras los ojos giraban bajo sus párpados. Y se reía de los Palau, que tenían el chalet rodeado de cipreses y coleccionaban lápidas funerarias. La manía de las colecciones, decía. Todas las mujeres andáis como locas tras los cactus, cactus de todas clases, con sus chichones formando salientes como colinas, como muñones, pequeños como fetos de niño. Parecen plantas en miniatura, abortadas. Y Mundeta le contaba que tía Sixta tenía más de ciento cincuenta cactus, todos minúsculos y con pinchos. Y él se reía y le preguntaba, pero qué hacéis las mujeres; pues mira, le decía ella, jugamos al bridge, vamos a esperar a los hombres a la estación, nos pasamos los modelos de ganchillo, vamos de visita; os criticáis unas a otras, no, le preguntaba él. Pero Ignasi también se burlaba de los hombres, que regaban los jardines, que se encontraban para ir al Casino de Sant Cugat, todo el santo día con la manía de los fabulosos campeonatos de mini-golf, que tomaban el aperitivo en La Floresta o que hacían de vez en cuando una escapada a Barcelona.

Y andaban, se cansaban, les palpitaba el pulso. Habría callado durante una retahíla de silencio. Habría masticado las palabras de Ignasi, las que no sabía decir, las que no entendía, las poesías que no sabía escribir, los abrazos que tan sólo estaba aprendiendo a dar. Lo habría masticado y lo habría lanzado por los aires. Como en un provocador alud de pecados, de deseos de pecar. Y pensaba, qué venganza, la Kati, la Patrícia, qué venganza las mezquindades de tía Sixta, que se complacen en recordarme mi incapacidad para atraer a un hombre. No le importaba, ahora, que los ojos de su madre sugirieran lo de siempre, no se casará nunca mi hija. Y se aferraba al brazo de Ignasi, buscaba sus caricias, con la desgarradora necesidad de quienes paladean, por vez primera y demasiado tarde, un amor fértil de ilusiones. Nos amaremos y nadie lo sospechará. Qué venganza, cuando engañaba a mamá diciéndole que iba a ver a Kati o que llevaba un recado para Patrícia o bien que había de sacar de paseo a las primitas. Qué venganza tan dulce.

Por ello se quedó de piedra cuando a últimos del verano del treinta y cuatro, le dijeron, sabes el loco de Ignasi Costa, pues no volverá a Valldoreix, está en Barcelona y parece que se ha liado de veras en la política. Quedó sin fuerzas, y le pareció que las miradas de taladro de todas las mujeres, brujas, más que brujas, pensaba, la horadaban para adivinarle el secreto. La novedad se convirtió entonces en motivo de escándalo y surgieron una serie de historias contra Ignasi y su familia. Que si Ignasi Costa era un desgraciado, un infeliz, incapaz de mantenerse, siempre con mujerzuelas de mala vida, como su padre. Se contaba de él que se había presentado en el Casino de Sant Cugat con alpargatas y que se había armado un revuelo indescriptible. Es un muchacho extravagante, está loco, y las voces la hostigaban, destilando veneno, está loco, está loco. No se lo diría que Ignasi no estaba loco, no lo sabrían jamás que Ignasi había sido su hombre y que no quería otro. No se lo diría, aunque no lo viera nunca más. Y cuando percibía las muecas de desprecio de la gente de Valldoreix, las medias sonrisas, habría deseado dejarlos con sus trapos sucios, introducirse en una mata de espinos y no salir de ella, habría querido ser arañada y que un millar de gotitas de sangre ahogasen Valldoreix y también a toda la gente de Valldoreix.

Pero el verano del treinta y cuatro era distinto. Un día Mundeta recibió una carta de Ignasi. La ocultó a las miradas de su madre y, para leerla, se fue al bosquecillo que está al lado del Mas Roig. Allí, bajo un chopo, la hierba era acogedora y el pedazo de cielo que se entreveía le parecía mucho más limpio. Estoy convencido, le escribía, que sabrás comprender por qué me he marchado sin decirte nada. Es la manera en que suelo comportarme. No puedo evitarlo. Estoy chiflado y me obstino en estropear las cosas que pueden ser algo hermosas. Como una especie de masoquismo. No te quiero hacer daño, Mundeta. Eres muy ingenua y no seré yo quien quiebre tu inocencia. Ya lo harán otros acontecimientos más crueles, más duros para ti. Si hallara, como dice Dostoievski, un pequeño rincón del mundo, la punta más reducida de la cumbre de una montaña, donde el hombre pudiese sentirse totalmente libre, quiza no deberíamos hacer tantas barbaridades, barbaridades soeces y gratuitas. ¿Recuerdas cuando decíamos que en el amor, como en la revolución, hay siempre una víctima y un verdugo? No me atrevo ni a sospechar siquiera quién de nosotros dos puede ser la víctima o el verdugo... Me gustaría volver a verte. Pero me da miedo despertar lo que llevas dentro. Debes saber que a mí tanto me importa la vida como la muerte, que al fin y al cabo todo no es más que una aventura estúpida y egoísta. Sabes, a veces tengo la impresión de que hago comedia, de que no soy yo quien habla, y creo que éste es un síntoma irrefutable de locura. No sé por qué te cuento todo esto. Hace muy poco tiempo que te conozco y casi no sé nada de ti. Ignoro qué me atrae tanto de ti. Tal vez sean tus ojos, porque son unos ojos que miran de verdad. O tu timidez, como si temieras vivir en el mundo. Y me parece que en este punto nos compenetramos. Como quiero verte, dentro de una semana justa estaré en el Tostadero, en el bar de la plaza de la Universidad. Me gustaría encontrarte allí. Si no nos vemos más, te deseo que no te conviertas en una de esas mujeres que van a esperar a los maridos a la estación...

Eran distintos los días de verano del treinta y cuatro. Pero más aún lo fue el otoño, que justamente empezaba.

10 de abril de 1901

No puedo dejar de pensar en el estudiante de los rizos como los amorcillos que se abrazan y se quieren en el recibidor. Se llama Víctor el estudiante que me sonríe cuando salgo al balcón, que no me quita el ojo de encima cuando me paro ante la mercería del pie de mi casa, que me pisa los talones por el Paseo de Gracia, que me espía en cuanto abro los postigos por la mañana. Siento su aliento fresco, de primavera, aunque me mire de lejos.

Quiero y no quiero, qué tristeza. Ayer recibí una carta suya y me he dado cuenta de que hace mucho tiempo que me acecha. Es una carta exaltada, con unas imágenes tan bellas como los versos de Campoamor. No habría podido imaginar que algo parecido me sucediera a mí. Si confieso que salía diariamente sólo para ver su figura a contraluz, para vibrar bajo el ardor de su mirada, creo que no peco, no peco. Dios sólo espera de nosotros sufrimientos, decía el confesor de Jesús de Gracia. Y ahora sufro. Y soy hermosa. Tengo el alma trastornada. He leído por quinta vez la carta de Víctor.

«Ramona, no se extrañe de que sepa su nombre. La camarera de mi casa de huéspedes me lo ha dicho. No sé cómo pedirle disculpas por la osadía de escribirle sin que jamás nos hayamos hablado. Si me he atrevido a dar este paso ha sido después de dudar durante días y noches sobre la necesidad de pedir un encuentro a una desconocida a la que sólo he podido admirar –y no me atrevo a decir "amar" porque podría representar para usted precipitación y atrevimiento, aunque para mí fuera cien veces bendito– desde el balcón, o por la calle, y siempre de lejos. Créame, Ramona, las grandes felicidades son las más temidas, y yo temería, rechazaría el pecado de nuestro encuentro, de no sentir dentro de mí una llama vivísima que me da fuerza, que me eleva, que me hace hombre, que me parte el corazón. Usted, Ramona, se ha convertido en la certeza del Ideal, en la mujer del Ensueño que llevo arraigado dentro de mí. Y ¿cómo podré alcanzarla, si usted toda se me escapa, enemiga huidiza, y está tan lejos de mi pobre realidad de hombre inexperto, de hombre mezquino...? Para tranquilizar el espíritu, tan sólo quisiera tener su consentimiento para una cita que, por fugaz que fuese, dejaría en mi ánimo su huella sutil y delicada. Me gustaría, para sublimar estas palabras, poseer el verbo, la fluidez de un Maeterlinck, de un Sudermann, de un Kropotkin, y así definir con su genio mi pasión y sinceridad. No obstante, le mando un pequeño poema hecho más con el corazón que con el cerebro, fruto de la intuición del deleite amoroso y escrito en la lengua que mosén Cinto me ha enseñado a descubrir y a querer:

»Des del balcó, l'altre dia,
jo t'estava contemplant,
i en el meu cor, hi glatia
l'amor que fa temps hi nia
joiós d'esclatar triomfant.

»Que hermosa estaves,
bell amor meu
Que hermosa estaves a la barana
del balcó teu!

»Jo et mirava, embadalit,
per veure si així em miraves,
i tu, donant-me a l'oblit,
del meu cor, per tu ferit,
ni menys, ai!, te'n recordaves.

»Que hermosa estaves,
bell amor meu!
Que hermosa estaves a la barana
del balcó teu!

»Jo no et vinc a veure
aquest papé hi ve per mi;
ell sóc jo, i en metamòrfosis

ara estic entre els teus dits.
Cada lletra és un poema;
cada mort és un sospir;
cada frase una abraçada...
i un petó els punts suspensius.

»*Vida meva, vida i glòria*
filla d'un goig infinit,
guaita'm com jo et guaito ara,
guaita'm i em veuràs sofrir,
i a la llum de ta mirada
que resplendeix dins de mi,
s'aconsolaran mes penes,
i sentirà un goig sublim
la meva ànima malmesa...
que per tu està defallint...

»*I ja que jo sóc la carta*
i tan a prop de mi et tinc,
fes un petó a n'aquest versos
i amaga'ls en el teu pit!
que a prop del teu cor, hermosa,
que bé hi estaré dormint!

»El poema ha expresado mis sentimientos. No puedo añadir ni una sola palabra. Si cree posible un encuentro, hágame llegar el recado a través de la camarera de usted que está en combinación con la mía. En espera, con ansia e impaciencia, de su respuesta, le ofrece sus sueños.

VÍCTOR AMAT.»

Cinco, seis, siete veces he leído esta carta. ¿Qué puedo hacer, Dios mío? Me siento como el domingo de Ramos, cuando era niña y me comía las frutas confitadas de la palma, la cidra, la naranja, las ciruelas y las peras, y la madre Adelina me decía que iría al infierno por golosa. Víctor también representa mi Amor Ideal.

Oía la radio de la abuela, como todas las mañanas. Unos minutos antes había sonado el ligero tintineo del despertador de la bailarina. Una figurita menuda y delicada debía iniciar, en la habitación de la vieja, los primeros pasos del *Vals de las olas*. Un *developpé*, punta y talón, punta y talón, media vuelta de puntillas. Una figurilla como la abuela, pensó, escurridiza, que se dobla por fuera pero por dentro es invulnerable. El cura, monótono, incansable, rezó el santo rosario. El murmullo de las palabras de la abuela le secundaba, con atención. *Dominus tecum*. Sentía una irreprimible curiosidad por la vida de la abuela: la imaginaba llena de misterios, de joyas, de perfumes, de secretos de alcoba, de palabras a medias, de revelaciones trascendentales, todo un mundo construido a medio aire, hecho de matices y presunciones. La abuela conservaba, como un tesoro candente y traidor, el paso del tiempo. *Domine, ad adiuvandum me festina*. Parecía la reencarnación de lo imposible: se miraba la vida y la muerte con la ternura sutil y encubierta de quienes se saben oscuros, de quienes no ignoran que ni una sola de sus acciones, de sus palabras, conseguirán el menor eco. Se adaptaba a las mil maravillas a la monotonía religiosa de las letanías y del rosario, más para mantener un rito que para salvar el alma. *Kyrie eleison.* Tal vez porque intuía que ella no tenía ni alma para salvar. *Sancta Dei Genitrix.* Era al hablar de su mundo cuando la mirada se le empañaba por el deleite de la añoranza. El siglo había muerto con ella y, al mismo tiempo, todas las ilusiones de una civilización caduca y maltrecha que, por lo menos, sabía lo que se hacía. Sus palabras vibraban de entusiasmo cuando se refería a un viaje que hizo a París –no recordaba demasiado en qué época–, durante el cual había vivido una apasionada aventura con su marido, a las sesiones del Liceo, antes de casarse y después, con el abuelo Francisco, a las carreras de caballos, a las fastuosas comidas en el Suizo y el Continental. *Mater boni consilii.* Aquello era un mundo, no el de ahora. Un mundo hecho a la medida de ella y del abuelo Francisco. *Vas insigne devotionis.* El abuelo Francisco era el mito de la estirpe Ventura: un hombre prudente, honesto y con un profundo sentido del honor y de su rentabilidad, que, por suerte para él, murió pronto. Su figura no era tan brillante como la del vizconde de Güell o como la de los *lyons* que frecuentaban el Excelsior, pero no se quedaba atrás. Francisco era serio, discreto, persona sensata, moderado, amante del equilibrio y de la proporción. Escribía versos maravillosos y los dedicaba todos a ella. Tenía un temperamento romántico y muy sensible, era un ferviente enamorado de Wagner. Pero también cultivaba el sentido del humor y le gustaba mucho cometer osadías cuando íbamos a escuchar a la Meller con aquello del Firulí Firulá. *Ora pro nobis.* Tendríais que haberle visto, decía, paseando por el Paseo de Gracia. Con qué elegancia, con qué sencillez saludaba a la gente, quitándose el sombrero sin ninguna ostentación. Íbamos entre la una y las dos y allí encontrábamos a lo «mejorcito» de Barcelona. Los que paseábamos para matar el tiempo, las nodrizas de casa bien, las mantenidas ricas, la gente de dinero que gustaba de tomar el sol. Dejaban los coches en la entrada de la calle Mayor y bajaban observando los colores, los tonos que tomaba el paseo al mediodía. Las nubes de la mañana se disipaban y la avenida se reanimaba alegremente. Lucían las barbas, los bastones, las joyas, los caballos, los chalecos, las cadenas de los relojes de toda la gente fina que encontrábamos por el camino. *Turris davidica.* Francisco pintaba muy bien, su pintor preferido era Urgell. Pero los cuadros de Francisco aún se aproximaban más a la realidad. Los paisajes eran más bonitos que los de verdad. Todo el mundo admiraba sus marinas, tempestuosas y grisáceas. Había quien decía que era imposible adivinar qué cuadro era de Urgell y cuál del abuelo Francisco. Ahorraba las palabras superfluas, no como ahora, que las personas hablan por hablar. Era un hombre de convicciones, de sentido común, sabía hacerse respetar. Y yo me quedé muy sola cuando se murió. *Foederis Arca.* Evocaba al abuelo como una mujer enamorada y Mundeta la envidiaba. Envidiaba el amor pacífico que se desprendía de las palabras de la anciana. Un amor que no mostraba ni una sombra de rabia, de odio, de resentimiento, un amor suave, siempre en reconciliación, espejo de su felicidad. *Stella matutina*. Mundeta recordó la única vez que había ido al Liceo, cuando tenía dieciocho años. Representaban *Parsifal*. No había querido ponerse de largo, como Sílvia, la hermana mayor, y había ido con el malestar de quienes creen estar pisando terrenos prohibidos. Llevaba un vestido de tul granate y le tuvieron que prestar unos sostenes sin tirantes y especiales, porque la espalda era muy escotada. Ves, le dijo la abuela, eres una señorita. Tienes que sentarte con las piernas cerradas y las puntas de los zapatos hacia adentro. Sobre todo no pongas esa cara de juez. Saluda a los conocidos con elegancia, les sonríes si se acercan pero no hables demasiado, no te rías si no viene a cuento, has de mantenerte distante. No debes exagerar: una señorita ha de hacerse valer sin que nadie sospeche cuáles son sus intenciones. Te has de mostrar reservada. Has de pasearte por los salones –no te pierdas ni las otomanas ni las arañas ni los espejos, y ¡qué arañas, Señor!– y has de comportarte, cuando estés dentro del palco, como si la música te interesara de verdad. Nada de llevar gemelos, no los necesitas, nada de mirar con indiscreción a los lados: una chica ha de ser bien educada por fuera y por dentro. ¡Si hubieses visto a mi mamá, con las joyas alrededor de su cabellera de color de bronce! Íbamos muchas veces a hacer el resopón al Eden Concert y el Nano sacaba los mejores manteles y los cubiertos de plata para nosotros. Tú vienes de auténticos señores, recuérdalo. No basta con lucir vestidos traídos de París y joyas auténticas. *Regina Virginum*. Naturalmente que la abuela, cuando evocaba sus tiempos, olvidaba a los Claret y la nostalgia sólo tomaba cuerpo ante la propia estirpe. Ya sabes que a mí no me gustan los cumplimientos –yo también me aburría, no creas, en las visitas de cumplido a las que me hacía ir mamá–, pero hay un montón de cosas que hay que hacer si queremos pasar por la vida con la cabeza bien alta. No sabes qué mal me lo pasé cuando se murió tu abuelo y tu mamá no pudo ir al Liceo. Fueron unos años muy duros. Nuestra única diversión era pasear o ir a tomar chocolate al Núria. Muchas amistades rompieron con nosotras. Por eso ahora tienes que aprovecharte. El dinero produce belleza. La pobreza es demasiado fea, Mundeta. Era difícil separar, en lo que contaba la abuela, las cosas reales de las imaginadas. Entremezclaba las fechas, los lugares y las personas que formaban parte de su relato, todo pasaba a ser una especie de amalgama en que la infancia, la adolescencia y los años de su matrimonio parecían una masa compacta y única. Mundeta llegó a sospechar que en aquellos relatos sobraba fabulación. Por esto, la noche en que fue al Liceo no se atrevió a decirle que había estado en el Glacier durante todo el segundo acto del *Parsifal*, que le había dado mucha vergüenza cuando se encontró con una compañera de curso y que no pensaba volver al Liceo porque se había aburrido mucho.

Ya sabía lo que le diría. Nena, hoy tampoco has dormido en casa. Estoy harta de tus reuniones, de tus líos con muchachos, cansada de tener que ocultarlo a tu padre. Y tienes suerte de que ahora está en Madrid y no volverá hasta dentro de unos días, porque si no. Claro que te aprovechas de esto; parece que te guste tomarme el pelo. Ay, Señor, todo el día detrás de los hijos, sin ninguna alegría. Qué vida tan pobre. Ya sabía lo que le contestaría, y qué, mamá, acaso no puedo hacer lo que me venga en gana. Todas mis amigas salen cuando quieren, mira Anna. Tengo veinte años, no soy ninguna cría. Y la madre la miraría sin respuesta posible, dándole razón con la mirada. Y cada vez la maldita radio más alta, menos remota –alguna mañana, alguna mañana muy anterior a hoy, el mismo sonido, las mismas letanías, qué nostalgia no experimentaba, qué nostalgia tan extraña al oír las letanías–, parecía como si la abuela quisiera hacerle la puñeta, un poco porque sí, que todo podría ser. Y cuando era pequeña y mamá la castigaba sin cenar, porque le había replicado, eres una descarada, le decía, una mal educada, no te mereces nada de lo que hago por ti, la abuela le llevaba a hurtadillas las galletas de chocolate, que eran las que más le gustaban de todas. Y también un vaso de leche bien caliente con tres cucharadillas de azúcar, y la leche con una capa finísima de nata por encima, porque la abuela sabía que le gustaba más la nata que la leche. Y le decía, vamos,

Mundeta, a dormir, que si no los angelitos no te dejarán nada bajo la almohada. Y la abuela siempre acertaba si los angelitos le dejarían algo bajo la almohada. Y le contaba historias que no diesen miedo, en que no saliesen muertos ni aparecidos. Las monjas contaban muchas historias de muertos y aparecidos, y la abuela, como que lo sabía, le contaba la historia de la princesa que durmió sobre ocho colchones, con un guisante debajo. Y como que era una princesa, a la mañana siguiente le dolían los riñones. Y a Mundeta le parecía imposible que, aunque fuera princesa de veras, notara un guisante debajo de tantos colchones. Y la abuela entonces le decía que, en realidad, eran historias de otros tiempos y que hoy las princesas se pasean por la calle y dan la mano a la gente y parecen personas como otras cualesquiera. Y era mejor de esta manera, si bien a veces las mezclas podían hacer mucho daño. Como cuando una criada va muy arreglada y puede engañar a la gente pareciendo una señora. Y ella pensaba que no le importaba que una criada fuera vestida como ella, y que cuando fuera mujer no tendría criada. Pero a las criadas, proseguía la abuela, hay que tratarlas muy bien, porque también son hijas de Dios. Y Mundeta no comprendía lo de ser hija de Dios y, al mismo tiempo, no poder llevar los vestidos que te apetezca. Las historias que más le gustaban eran las de aventuras. Pero éstas no se las contaba la abuela, sino Nasi, que tenía mucha imaginación y además había leído mucho. Le contaba narraciones de miedo, como aquella de la cual más adelante supo que era una *rondalla* de Gerona, en que una niña golosa se comía el hígado de un hombre y, por la noche, el hombre se salía del cementerio y se iba a la casa de la niña muy poco a poco diciendo, Marieta, Marieta, que subo por la escalera. Y la niña tenía mucho miedo y exclamaba, ¡ay, madre, mamita! Y el muerto volvía, Marieta, Marieta, ya estoy en el segundo escalón. Y la pobrecita chillaba, ¡ay, mamá, mamita! Hasta que el hombre llegó arriba y dijo, Marieta, Marieta, ya estoy en tu puertecita y entró, ¡ahora sí que te he agarrado! Y la agarró, la mató y la cortó en pedacitos. Luego se fue al mercado y la vendió a una carnicera por una peseta. Y la madre de la niña, que no sabía nada, compró la carne porque la encontró muy barata y la frió en la sartén.

Mare, no em fregiu,
que sóc la Marieta;
mare, no em fregiu,
que sóc la caganiu.

Y antes de que Nasi le dijera, y colorín colorado, este cuento se ha acabado, Mundeta ya se había tapado con una almohada porque así, creía, nadie la iba a ver. Y Nasi se burlaba de ella, mira que eres tontaina de creerte esas cosas. Pero siempre que podía le contaba historias terroríficas que hacían poner los pelos de punta. Nasi y la abuela le habían hecho compañía muchas veces cuando papá la castigaba al cuarto oscuro. Pero mamá no la iba a ver nunca. Porque mamá se pasaba la vida como aturdida por los humores del marido, como los niños torpes que no esperan nada de nadie. Cuando Mundeta se hizo mayor se dio cuenta de que su madre era un animalillo indefenso y quebradizo. Sólo el recuerdo de la guerra la transfiguraba. Alguna vez había pensado en qué clase de mujer habría sido su madre si la guerra hubiera tenido otro final. Cuando la abuela se apasionaba por las cuestiones religiosas y contaba anécdotas de anarquistas comecuras y quemaiglesias, calificándolos de brutos, malos padres de familia y sinvergüenzas, mamá le contestaba que ella, la abuela, no era nadie para desdeñar lo que desconocía. Y se indignaba todavía más cuando tía Sixta contaba las terribles historias de crímenes de jóvenes congregantes atribuidas a Durruti y luego a sus supervivientes. Sólo en tales ocasiones su voz habitualmente controlada, y sus ojos, siempre sombríos y apagados, adquirían una gran violencia; ¿por qué no creer, les replicaba, que Durruti había sido un hombre de bien, equivocado o no, pero que tenía unos ideales por los que luchar? ¿Acaso no éramos nosotras, seguía diciendo, quienes actuábamos con estulticia y vulgaridad, bailando por ejemplo en las estúpidas fiestas que organizaban los de la colonia de Valldoreix? Para la madre de Mundeta sólo había una persona decente en medio de aquel enjambre de tontos y pasmados, la Kati. Y Kati se suicidó en el treinta y nueve. Las mujeres de la colonia de Valldoreix éramos unas vanidosas que sólo sabíamos criticar a la gente, cuando íbamos a la estación a esperar a nuestros maridos. La madre de Mundeta bajaba el tono de voz, tal vez a nosotros nos faltaba delirio por alguna cosa, ansia, intranquilidad. Y se iba a sentar junto a la mesa camilla, cubierta por una manteleta de lana. Desde la oscuridad de la galería se la oía murmurar sobre el médico-poeta adobador de cadáveres y la eterna cantilena de los versos de Salvat-Papasseit. *Quin tebi pler l'estimar d'amagat, tothom qui ens veu no ho diria, però nosaltres ja ens hem dat l'abraç, i més i tot, que l'abraç duu follia.*

Su madre era un enigma. Bebía en estos versos y su visión de la guerra era un espejismo. Pero de costumbre vivía aplastada ante la presencia del marido. Le tenía miedo y no se esforzaba en ocultarlo ni siquiera delante de los hijos. Parecía como si hubiera cometido un pecado muy grave, algún hecho imperdonable de juventud. Nasi tenía sospechas, dejaba volar una imaginación febril, alguna aventura exótica, y cuando se lo decía a Mundeta, ninguno de los dos podía evitar bromear sobre la fantasía. Ocurría que la imagen ladina y desdibujada de la madre no invitaba a hacer literatura. Mundeta no la comprendía demasiado, más bien le daba un cierto reparo la coacción diaria, las quejas de mujer oscura y hogareña que convierten la casa en un lugar mortuorio. No eran ni el despotismo ni la indiferencia del padre los que habían provocado la ida de Nasi al Brasil. Eran las debilidades de la madre, la actitud pedigüeña, apagada pero tenaz, de los seres que se saben débiles y se aprovechan de ello. Era una lástima que Nasi estuviera tan lejos, si aún viviera en Barcelona le aconsejaría lo que debía hacer, o, más probablemente, se burlaría de sus asuntos con Jordi. Son cosas pueriles, os habéis creído descubrir la sopa de ajo y esto es más viejo que la tana. Nena, haz caso de tu hermano, le diría, que es un cínico y sabe lo que es la vida. Tú solita tienes que salirte de sus líos. No te va el papel de madame Pompadour, déjalo para las señoritas que sólo saben pasarse las horas por los *pubs* de moda. Para las que juegan a «emanciparse» desde la cama. Nasi, cuando le hablaba así, le sonreía con ironía, con ternura. Pero las cartas que ahora le mandaba desde el Brasil desfiguraban su cinismo y adquirían una pátina de tristeza: Mundeta, le escribía, ¿no ves que tu hermanito es un caradura? ¿Por qué me cuentas tus líos de burguesita sentimental? Bajo la calina de esta ciudad tropical, donde sólo me permito las siestas y hacer el *gigolo*, te vuelvo a repetir que no me gustaría que me siguieras. Porque seguirme quiere decir admirar a los egocéntricos, a los crueles, a los que no sabemos lo que queremos: la inmensa mayoría de un mundo de indecisos y de débiles mentales. No me hagas más caso, pequeña, que mi única aspiración es vegetar. Y la de ser inmensamente rico, claro. Y no quiero que te me estropees, porque eres mi única esperanza y, quién sabe, la de la familia Claret. La extraordinaria-acomplejada-gris-atávica familia Claret. Yo ya no soy quién para darte consejos, pequeña.

Mundeta pensó que en qué momento de la

pequeña historia de su familia debió de empezar la serie de cobardías, de debilidades, de impotencias.

Nasi estaba demasiado lejos, en todos los sentidos, para entender un mundo que la distancia desenfocaba. No le podía escribir: si Nasi no se desentendía de ella como había hecho otras veces, tampoco alcanzaría a captar una realidad que no se parecía en nada a la de Río de Janeiro. La abuela chocheaba, embebida de los vestigios que apenas habían dejado recuerdos visibles; era una ruina decrépita, aunque digna. Con el alejamiento, en el espacio y en el tiempo respectivamente, de las dos personas a quienes más quería, con el decaimiento de la madre, la imperturbabilidad de Sílvia, la indiferencia de Gèlia, con el odio visceral que sentía por el padre y por las cosas del padre, Mundeta se dio cuenta de que la decisión, si alguna decisión había de tomar, sería absolutamente suya. Y como desenlace de una lenta maduración, de un modo tardío pero seguro, apareció en su mente lo que tenía que hacer: se marcharía de casa, aprovecharía la detención de Enric para esconderse. De esto a dejar de pertenecer a la familia Claret no había más que un paso.

La abuela terminó el último oremus: *Per eundem Christum Dominum nostrum. Amen.*

14 de abril de 1901

Dios mío, qué ansiedad... El alma se me va detrás de Víctor. ¿Por qué habré leído el poema? Debería haber rasgado el papel antes de darle una sola ojeada. Me dice, cada letra es un poema, cada palabra un suspiro. Los versos catalanes me suenan mejor que los castellanos. Son más puros, los siento más cerca de mí. Los versos de Francisco, al lado de los de Víctor, son torpes, tensos, de comedia. Ahora me doy cuenta de lo que significa expresarnos en nuestra lengua. Hacía tiempo que yo escribía mi diario en catalán, ¡y hasta ahora no lo había notado!

¿Y si le veía una sola vez...? No, no, serían unas relaciones peligrosas, una tentación... No debo comprometerme. Despediré a la camarera, es una indiscreta. No podría detener el alud de murmuraciones. Esto no es Gracia, pero en los barrios del Ensanche son las criadas las que hacen circular los secretos de las familias. Ahora mismo la llamaré para que prepare las maletas.

Ojalá no le hubiera visto estos días últimos. Qué calamidad soy, saliendo cada día a regar las plantas, a dar de comer a los pájaros, a contemplar los coches de punto y los tílburis que pasaban por la calle. Le presentía detrás de los cortinajes de su habitación, adivinaba su sombra, le olfateaba desde lejos. Me parecía que me hacía un gesto, una señal con la mano. Y llegaba hasta mí el ardor de sus ojos, conducido por los rayos de sol. ¿Y si me atreviera a verle? Aunque no fuera más que un instante, para decirle que no está nada bien lo que me pide... No habría maldad en el encuentro, y, además, le aliviaría de su disgusto. Pobre, no quiero hacerle sufrir... Preguntarle, tan sólo, qué es lo que pretende... ¡Sí, encontrarnos, hablar con él, estar un poco a su lado, poder mirarle de cerca!

Me duele el estómago, el miedo me retuerce las tripas. Se trataría de reunir fuerzas y decirle, mire, joven, qué se ha creído, yo soy una mujer decente, una señora... He llegado tarde, no quiero engañarme. No, no, mejor tratarle como a un niño, oye, soy una mujer madura, tengo veinticinco años, hace más de seis que estoy casada, no quiero hacerte daño, eres muy jovencito, ¿por qué te buscas líos en la vida? ¿O decirle dignamente, oiga, sólo me he atrevido a encontrarme con usted para exigirle que me deje tranquila...? He de contestar inmediatamente a la carta, tiene que darse cuenta de con quién se las gasta, una mujer casada con un hombre de bien, respetado por todo el mundo... ¿Y si rompo la carta? ¿Y si finjo no haberla recibido jamás? Olvidarla, eso es lo que conviene. Pero, ¿olvidaré su pasión? Debe de ser dulce, ¡un amor por estrenar! ¡Tengo que verle, tengo que verle! Quisiera que su figura huyera de mi memoria, quisiera imaginármelo jorobado o viejo, chocho, con las piernas arqueadas, decrépito, con una hilera de arrugas en la cara y en la papada, con bolsas rojizas bajo los ojos, con surcos amarillentos en la piel, escuálido por las fiebres, feo como un gitano, horrible como la muerte, con una papada de obesidad y un tic nervioso en el ojo izquierdo, calvo y con un cráneo enorme, el cutis envejecido, las manos temblorosas y de color de carne de cordero, con el rostro baboso de los retrasados mentales, con un estrabismo muy acentuado en la mirada, con... Nada de todo eso. Víctor es hermoso como los dos amorcillos de mármol... Qué asco, soy una tonta.

Le he mandado una nota. Mañana a las once estaré en misa, en Santa María del Mar.

Mundeta Ventura pensaba, tengo unos ojos que miran de verdad porque es la primera vez que miran a un hombre, el mío. La tarde en que tenía que ir al Tostadero, pese a que el ambiente estaba enrarecido por culpa de Companys y del gobierno de la Generalitat, eso era lo que decían, enredó a Patrícia para ir a ver *La reina Cristina de Suecia*. Cristina, la reina más querida, más recordada, más sublimada, la más deseada de la historia, gracias a la Greta, la divina, el mito.

Cristina, la mujer enérgica, la mujer que pierde el oremus por un macho, feliz ella. Cristina-Greta es una mujer astuta, sagaz, amante de la hipérbole, de la inteligencia y del ingenio verbal, capaz de mandar al traste la dignidad de la cuna, la intocabilidad del sexo por un mero pipiolo, por un pedazo de hombre cualquiera. Un macho es muy difícil de encontrar dentro de la terrible jungla humana. Un macho, un macho. Pero ella, la Mundeta-Greta, se ha enternecido por el de verdad, por el de buena madera, más noble –pero también más débil, aunque no lo sepa– que Ninochka, que Cristina, que la Hari. Greta, la valiente, la audaz, la única, con el rostro formando triángulo –en un soberbio, inolvidable primer plano–, navega hacia la línea de la felicidad. ¿Hacia dónde, Mundeta? No importa, el detalle no cuenta para la película. Además, ya hemos llegado al *The End*. Se ha terminado la historia, Mundeta. ¿Te cuesta, verdad, volver a la realidad? Greta, la divina, la bella, la sublime.

No tenía ánimos para sentarse en una granja y esperar que las horas pasaran unas tras otras. Le molestaba salir con Patrícia; una mujer criada en el campo, casada con un poeta, una mala bestia, decía la madre, narciso y egoísta. Mundeta pensó que Patrícia no habría captado el personaje representado por la Greta. Patrícia no sabía, casi, leer ni escribir. Le faltaba la sensibilidad de la gente de Barcelona. La capacidad que tenía su madre para languidecer, para sentir nostalgia de otras tierras mientras regaba los geranios del balcón. Mundeta hoy se mantenía callada, no por su habitual timidez, sino porque preveía que Patrícia no entendería, si ella trataba de transmitírselo, la gracia armónica de alguna pareja que se daba la mano, la estética musical de los ruidos barceloneses, la elegancia de la hilera de coches que circulaban por las Corts Catalanes, la luminosidad de una tarde de octubre. Le parecía inútil tener que refinar los estragos verbales de una mujer educada en la mezquina vida de los campesinos y desgastada por una vida conyugal rutinaria y poco atractiva. La Mundeta-Greta sólo anhelaba, aquella tarde, llegar al Tostadero. Y empezó a imaginar cómo lo haría para librarse de Patrícia, el ángel de la guarda encomendado por su madre.

Se impacientaba porque sabía que Ignasi la esperaba ya. Toda la tarde estaré en el Tostadero, le había dicho. No podía defraudar a su macho. Era el primero que había conocido y era plenamente suyo. Lo defendería con uñas y dientes si hacía falta. De Kati, de quien fuera. Pensó que su amor sería como el de sus padres, lleno de evanescencias, de sutilezas, de languidez. Compartirían la vida con valses y viajes. Ella llevaría camisas de seda blanca y se dormiría en brazos de Ignasi mientras que la brisa mcnearía la gasa de la ventana. Oiría su voz, como la de su padre, tócame el *Vals de Coppelia*, querida. Y estarían rodeados de muchos niños, llenos de felicidad, de alegría, de. Intentó recordar la imagen de su padre. Y tan sólo veía la cotidianidad de un hombre viejo y triste, sentado junto a una planta muy grande que llamaban «las palmeras de la galería». Era la suya una cara pálida, y las manos, fatigadas y muertas, caían reposando sobre los brazos de la mecedora. Luego se le apareció otra imagen, insólita y lejana, de un sombrero de paja y de un bastón que daba vueltas. Era un día muy claro y parecía alegre –no podía precisar si era domingo o laborable– en que él la había llevado a pasear al Parque de la Ciudadela. Le mostraba las fieras y después, cuando iban al paseo de los tilos, las imitaba. Imitaba los rugidos de los leones y los tigres en voz tan alta que todo el mundo se giraba a mirarlo. Y le decía, serpiente mía. Y fueron junto a los nenúfares, en la isla que está delante de la Cascada, y ella quería subirse a las flores planas y su padre se reía y la cogía como si la balanceara arriba y abajo y, cuando llegaba a la altura de su cara, le daba un beso en la punta de la nariz. Por la naricita de mi niña, de mi serpiente pequeñita, conquistaré las Américas. Un día llegaron las tías que veraneaban en Valldoreix, muy serias y nerviosas, y se la llevaron. No la devolvieron a su casa hasta al cabo de tres meses. Su madre no decía nada e iba vestida de negro. El papá no estaba en ninguna parte.

Lo buscó en la galería, en la mecedora junto a las palmeras, en la habitación del secreter y de la caja de novia, por el salón de estilo donde estaban los juegos de porcelana, los cuadros de Urgell y los de su padre y las muñecas de la familia, incluso miró por el hueco del patio interior, pero de papá no quedaba ni sombra. Durante los primeros días, la mamá vivía encerrada en su habitación y, si salía de ella, era para sentarse en la mecedora de papá y pasarse horas leyendo. A veces iba a comprar y volvía con montones de revistas y de libros, casi todos biografías de santas y de reinas, que amontonaba al lado de su secreter. Pronto las pilas llenaron su habitación y se hizo construir una librería especial de nogal en la alcoba donde tenía los santos. Pensó que era natural que papá no estuviera. Había oído decir que los hombres a veces hacen cosas feas a las mujeres, se comportaban como demonios, decían las monjas, y se van de las casas y dejan a las mamás y a las niñas solas. Y no vuelven. Y entonces tuvo un arranque de rabia contra el papá, un arranque que le duró días y días, y prometió que le odiaría toda la vida. Hasta que llegó la hora en que mamá rompió el silencio y su tristeza y le dijo, no, Mundeta, papá no se ha ido porque haya querido. Papá se ha ido al cielo porque estaba cansado de vivir en la tierra. Se había vuelto viejo y la única manera de volver a ser joven era irse al cielo.

Desde entonces mamá se convirtió en una mujer muy alegre y comunicativa. Su carácter, antes tan seco, se volvió abierto, generoso; siempre estaba dispuesta a pasear, a conocer gente. Empezó a gastar, a comprarse vestidos de toda clase en cuanto se terminó el luto. Fue por aquellas fechas cuando alquilaron la casa de Valldoreix. Pero las antiguas amistades empezaron a hacerles el vacío y el círculo se redujo a unas cuantas parientas y, más tarde, a Kati. No quería pasear por el Paseo de Gracia y se enamoró de la Rambla, de la cual ensalzaba las gracias y decía ser el único lugar de Barcelona donde aún revivía la antigua grandeza de la ciudad. No recordaba cómo había desdeñado a las floristas, a las vendedoras de la Boquería, a los pintores de la bohemia, las estridencias de los extranjeros, los vestidos de las *cocottes*, cuando iba al Liceo ocupando un palco de alquiler. No quería admitir que, con todo, sentía añoranza por las cenas del Suizo, de Casa Justín, de las carreras de caballos, de las pieles y las joyas que había lucido y que, al pasar el tiempo, tuvo que ir empeñando para pagar las deudas de los gastos anteriores. Llevaba un sombrero distinto por la mañana, por la tarde y por la noche, y si los guantes se desgastaban sólo un poquito, compraba unos nuevos. Rompió con toda la familia por el asunto de unos terrenos de Siurana, y con lo que se gastó entre pleitos y abogados, acabó de patearse la pequeña renta que le había dejado su marido. Sólo le quedaba un vitalicio que le dejó su padre al morir. Tuvo que despedir el servicio, primero a la cocinera y luego a la camarera. Mundeta oía sus excusas, cuando iban de visita, alegando lo que robaban las criadas y que era mucho más *chic* y europeo tener una interina. Cumplía con estricta fidelidad los primeros viernes de mes y cogió la manía de coleccionar estampitas de todo tipo con oraciones larguísimas, a cambio de las cuales se le prometían años y años de indulgencias. Apuntaba todos los días que tenía ganados para ir al cielo en el mismo carnet de notas donde copiaba los versos preferidos. Empezó a cambiar muy a menudo de confesor y, cuando se encaprichaba de uno, predicaba sus encantos a diestro y a siniestro y le visitaba casi a diario. Regalaba devocionarios de cantos dorados y cintas de todos los colores a las interinas que le duraban más de quince días, y compraba rosarios de nácar con una cruz de plata para los niños de las barracas. Pese a las angustias económicas en que tuvieron que vivir, la madre de Mundeta no abandonó jamás sus perfumes ni sus libros. Todas las noches se soltaba la cabellera, acompañándola con un movimiento de su cuerpo hacia atrás, ante la luna del armario de caoba. Mientras tanto, su hija se sentaba sobre la barandilla de la cama y la admiraba en silencio.

15 de abril de 1901

La Asunción parecía de carne, con los brazos abiertos, la mirada en alto, los pliegues de la ropa que la hacían volar. Me he arrodillado delante de ella y le he pedido ayuda. El silencio, la oscuridad, el olor dc los cirios, la enormidad de la iglesia me abrumaban. Hoy Santa María me ha parecido más altiva que nunca. Me ha parecido adivinar su presencia bajo la cabeza de moro del órgano y he fingido no verle. He salido y me he parado junto a la Fuente de los Señores. He concentrado mi mirada en uno de los golletes y él se ha colocado detrás de mí. He cogido la calle de la Argentina y se me ha caído la mantilla al suelo. Entonces él me la ha recogido y me ha tomado la mano.

18 de abril de 1901

Hemos ido a pasear por la Barceloneta. Cuanto más lejos, mejor. Todo es nuevo para mí. Hemos alquilado un coche casi hasta llegar al mar. Y he quedado encantada en este barrio ajetreado y alegre, ante los chiquillos, que jugaban libres por la calle, las viejas, que tendían la ropa en los balcones minúsculos, los hombres, que encendían las pipas ante las puertas de las casas. El aire olía a salitre. Hemos entrado en una taberna llena de marineros y pescadores y nadie nos ha hecho caso. Esto me ha extrañado pero ha disipado mi vergüenza. El olor a pescado, a aceite frito, me ha dado mareos. Víctor me ha llevado a la playa y el viento de levante nos acariciaba las mejillas. Él me ha mirado con ojos encendidos y me ha besado.

25 de abril de 1901

Los días están despejados de niebla, el cielo es más feliz que yo. Víctor, tú alegras mi vida, tú la colmas de felicidad. ¡Por fin, el amor!

10 de mayo de 1901

¡Le quiero, le quiero! Porque nuestro amor es un amor secreto.

25 de mayo de 1901

Me gustaría poder decir, como *madame* Bovary, que tengo un amante. Pero es mentira. Estoy herida de amor y muerta de miedo. He ido a confesarme a los jesuitas, a un cura que no me conocía. Me ha dicho que peco, que me precipito al abismo, que debo dejarle. Y él sólo me ha besado una vez.

10 de junio de 1901

No he cambiado. Me aburro. Hace diez días que Víctor no me dice nada, ni me escribe ni me manda ninguna nota con la camarera.

12 de junio de 1901

¿Le olvidaré? El confesor me ha dicho que necesito mucha penitencia. Quisiera que los miembros de mi cuerpo sangraran como los de los mártires. Sufrimiento, mucho sufrimiento.

15 de junio de 1901

¡Me ha escrito! Y me dice que me espera mañana delante de la Cascada del Parque de la Ciudadela. Que ha de marcharse al pueblo de sus padres. Que el curso ha terminado. Pero yo no iré. No quiero volver a pecar.

Hoy se lo iba a decir. Había que aprovechar que su padre estaba en Madrid. Joan Claret iba a Madrid cada dos por tres, ahora por un asunto urgente, mañana por si veo al subsecretario que me ha de facilitar la licencia de las importaciones, otro día para arreglar el problema de las sucursales. Sus viajes constituían un hábito para la familia Claret, que, al estar compuesta en su mayoría por mujeres –la abuela, la madre de Gèlia, la Mundeta y una criada–, se había acostumbrado a prescindir de los elementos masculinos. Por otra parte, la familia se redujo desde que Nasi se marchó y Sílvia contrajo matrimonio, pero había crecido por el lado de la criada, una muchacha muy joven a quien la abuela quería como si fuese de los suyos, y a quien la anciana había enseñado a hablar catalán a cambio de hacerle compañía durante las largas tardes de invierno.

Se lo tenía que decir. Parecía mentira que la idea de irse de casa le hubiera llegado a la mente con tanta sencillez, sin ningún motivo inmediato, ni una pelea, una ruptura o un disgusto visible. Esto le recordó la manera en que había dejado de creer: el hecho se le presentó como una evidencia irrebatible que no había ni que discutir. Tal vez por la influencia de cierta tradición literiaria enraizada en un humanismo algo desastrado, se había imaginado que los grandes cambios han de acarrear dramatismo por el mero hecho de suponer una mutilación, por grande que sea la mejora. Quizás, pensaba, no es el abatirse brutal del viento sobre las cañas lo que las doblega, sino la perseverancia acariciadora de la brisa ligera. Los hombres deben de ser una especie de camaleones morales que cambian de piel para subsistir.

No acababa de aclararse sobre las causas concretas de su decisión. Era absurdo pensar que lo había provocado la sorpresa de la detención de Enric o los hechos inconexos de la última noche. Más bien intuía que era una sucesión de opciones que había ido madurando muy poco a poco. Habría de armarse de valor y no dejarse enredar por los llantos gallináceos de la madre ni por las miradas desconsoladas de la abuela. Tratar de encontrar motivos sólidos y convincentes para que lo aceptasen era un suicidio. Si lo discutía, acabaría quedándose en casa. De hoy no iba a pasar: prepararía la maleta con los objetos necesarios. ¡Cómo le gustaría llevarse una montaña entera de recuerdos, los cachivaches legendarios del colegio, los objetos significativos de la adolescencia, los minúsculos vestigios que configuraban y definían su pasado reciente!

La madre abrió la puerta y se detuvo en el umbral de la habitación.

–Niña, ¿no sabes qué hora es?

–No, acabo de despertarme.

–Ya lo veo. Es muy tarde, son las doce menos cuarto. Vamos, levántate. Esta noche tampoco has dormido en casa.

–No es verdad. He llegado tarde, pero he dormido aquí.

–No he oído la puerta. No me engañes. ¡Suerte tienes de que papá está en Madrid!

–Pues, a mí ¡me da igual que esté en Madrid o en la India!

–¡Niña, no hagas enfadar a mamá!

¿Por qué teniá que entrometerse la abuela? La cosa se complicaba.

–No la hago enfadar. Se mete con la hora a la que llego y, en cambio, no he podido dormir por culpa de tu rosario. ¿Por qué debo aguantarme?

–Mundeta, ¿se puede saber qué te pasa?

–Cuando yo tenía tu edad, Dios me librara de haber hablado jamás de la manera que tú lo haces –dice la abuela.

–No soy una chiquilla, además...

Tenía que vengarse de sus propias debilidades.

–...además, me importa un bledo tu juventud.

–¡Niña!

–No hay nada que hacer, mamá. Es así desde que va a la Universidad. Ha cambiado como un calcetín, me la han estropeado –añade la madre.

–¡Ya estamos en lo de siempre! ¿Por qué no puedo vivir tranquila?

–Venga, dejémoslo correr, más vale que cuando llegue papá...

–Mira, mamá, precisamente antes de que papá regrese te quisiera decir una cosa.

–Ay, eso sí que no. No quieras meterme en medio de tus peleas. Al final, la que sale perdiendo soy yo.

–No te hagas la víctima.

–Niña.

Otra vez la abuela. Tendría que precipitar las frases.

–Es algo urgente.

–¿Por qué no esperamos a papá?

–A la mierda con papá.

–Niña, no seas malhablada.

–Tengo que esconderme por unos días.

–¿Esconderte? ¿Esconderte de quién? Pero, ¿qué dices? –pregunta la madre con azoramiento.

–¿Has hecho acaso algo feo? –dice la abuela.

No acababa de saber si no entendían nada o se hacían las tontas.

–Tengo que irme de casa.

–¿Qué dices?

–¡Será posible! Pero ¿qué has hecho?

Cualquiera les explicaba las peleas en la asamblea, las diferencias ideológicas entre Enric y Jordi, el hundimiento de una lucha, la trompa de Jordi, lo de Jordi y Anna, la escena de la habitación de Anna, el Nito, que si puede magrea, la huida, el hombre del Alpine, el *meublé* de la Plaza de Lesseps, el asco, las náuseas, la angustia de no saber si volvería a ver a Jordi, el miedo que se abatirá ahora, cuando todos tendrán que esconderse, el ansia, las universidades cerradas si las cierran, la rabia de no hacer ninguna asamblea más, cualquiera se lo explicaba.

–De ninguna manera, no te puedes ir de casa, así como si nada –dice la madre.

–¡Dios mío! ¡Vaya disgusto!

–Y papá... –La madre la miró, temerosa antes de tiempo–. Siempre has hecho lo que has querido. Te hemos comprado los vestidos que pedías, has ido dos veranos a Inglaterra, llegas a la hora que quieres... –insinuó con un intento de pacto–. ¡Si cuando no está tu padre haces lo que te da la gana!

No se trata de esto.

–Mundeta, por Nuestro Señor, no les hagas esto a tus padres. Primero fue el Nasi, ahora tú...

Los ojos de la abuela, los ojos tiernos de la abuela.

–...tú no has vivido mi época, aquello sí que era terrible. Todo el santo día con mamá, haciendo comedia. Nosotras las mujeres, ¡a callar! Pero ahora, ¡si hacéis lo que queréis! –exclamó la vieja.

–No te comprendo, hija. ¿Por qué te quieres ir?

No se lo podía decir. ¡Si por lo menos gritasen o se cabreasen! Si estuviera su padre, la encerraría en el cuarto oscuro y se habría terminado todo. Brillo en los ojos.

–Tengo que irme porque la policía puede venir a buscarme.

–¡No! ¿Quién te ha engañado?

–Pero ¿quién te mantendrá, criatura? –dice la madre–. Vamos, que no me lo creo. –Un destello de esperanza en la mirada–. ¿Verdad que bromeas? Verás, vendrá papá y lo arreglará todo. Él conoce a un fiscal en Madrid que...

–¡Basta! –Se levanta de una arremetida–. Me voy, he dicho que me voy, dejadme.

–¡Dios mío! Vas a salir mal parada. –La madre la observó, agresiva–. No sabes qué quiere decir todo eso. Si hubieras vivido la guerra sabrías qué quiere decir pasar hambre, como tu madre. Un día entero rebuscando por entre los muertos, muchos de ellos cadáveres totalmente quemados, para encontrar a tu padre..., ¡y con un hambre que pasaba!

–¡Me importa un rábano la guerra y todos vuestros líos! Lo de ahora es distinto, ¿comprendes?

Ya lo había dicho: había que tomar las de Villadiego. Que no fuera demasiado tarde. Las palabras detienen las acciones.

–Mundeta, cómo has cambiado...

El agua de la lluvia bajaba por la calle de Bilbao. Las ruedas de un landó salpicaron a la escasa gente que se había atrevido a salir con un tiempo tan borrascoso. La primavera se había truncado y hacía un tiempo otoñal. Yo me escondía de portal en portal y bendecía el aguacero que me ayudaba a pasar desapercibida. Los caballos se llenaban las patas de fango. Giré a la izquierda, por Carders, hacia la calle Flor de Lliri, con el corazón más encogido que una esponja. Durante todo el camino no hice otra cosa que dar vueltas y revueltas, parecía acorralada. Me metía por Montcada, pero volvía a salir a otras calles. El aguacero me estaba calando hasta los huesos. Cuando había salido de casa, no llovía, pero ahora el repicar del agua llegaba a hacerme daño en el oído, lo aguijoneaba. Las nubes descargaban furiosamente y parecían engullirme bajo la espesa cortina de lluvia. De la calle de Montcada iba a los dos Cremats, el Xic y el Gran, giraba por Flassaders, y no me atrevía a salir de allí. Una ventolera me despeinó. Oía, lúgubres y lejanas, las campanadas de Santa María. Volví a subir hasta Princesa con la intención de adentrarme, si podía, por Tantarantana y volver a casa. Pero giré hacia la calle de Fussina, a la derecha.

Vislumbré la umbrosa silueta recortada de los jardines del Parque. El Parque, el parque solemne, embebido en el silencio. Ahora caía llovizna y las hojas de los árboles goteaban. De vez en cuando, ráfagas de viento silbaban desde más allá de los jardines. El día era inclemente y triste. Contra el viento, penetré por la Avenida de los Tilos. Tomé el camino, sinuoso y lleno de barro, de la izquierda. No era el mismo de los días de sol. Llegué empapada a la cascada, que desaparecía bajo la yedra de la parte de atrás. Parecía una umbría, y comprendí por qué decían que la gente allí se suicidaba. No vi a nadie. La plaza estaba desierta y las ráfagas hacían volar las hojas de un lado a otro. Me admiraba la belleza de la estatua de Venus, que desafiaba, solitaria y valerosa, la lluvia. Dudé si cobijarme en el pasillo de la Cascada, entre las dos arcadas. El aire me helaba de arriba abajo. Salí y fue entonces cuando vi una sombra vacilante en la isla de los chopos. La rodeaban las esfinges que vierten el agua en el estanque. No veía ni los nenúfares ni las aves, tan sólo unos tonos negruzcos que destacaban la sombra. Sentía cómo mis pies se hundían en el barro, cada vez más empapados. La humedad me calaba hasta los huesos, los cabellos se me pegaban a la cara como si fuesen un pañuelo, el agua me resbalaba por el rostro hacia abajo, por el cuello, entraba en mi pecho, sentía mis senos helados y que el frío me había llegado al corazón. Me había quedado inmóvil, clavada en el suelo, las rodillas paralizadas, el cuerpo rígido. No veía nada más que la sombra, la sombra que se acercaba cada vez más definida, más exacta, con los ojos salidos, sanguíneos. Y sentí una masa que me caía encima, que me apretaba la cintura, que metía su mano dentro de mi vestido...

Su madre la consolaba cuando tenía miedo, como aquel día en que vio por vez primera un muerto.

Era una monja muerta, la madre Sacramento. Las personas que tenían un trato íntimo con las Salesianas de la calle de Sepúlveda las llamaban «sor», algunos las llamaban «hermanas», y los que querían mentir sobre la procedencia de su cuna y presumían de aristocracia de Ensanche, como la madre de Mundeta, se dirigían a ellas con el respetuoso apelativo de «madres».

El cuerpo de la madre Sacramento estaba expuesto en mitad de la iglesia sobre un catafalco lleno a rebosar de rosas blancas. Entre las perlas y los encajes de Valencia apenas si emergía el rostro, apergaminado, blanco como una máscara de cera. Las Salesianas mostraban a todo el mundo a la madre-sor-hermana Sacramento, y no disimulaban su satisfacción por el hábito que le habían bordado. Las alumnas tuvieron que desfilar toda una mañana en torno al catafalco y Mundeta apenas se atrevía a mirar de reojo el rostro impasible de la muerta. Si la miraba desde la esquina más oscura, le parecía que las manos huesudas, colocadas en actitud de plegaria y cruzadas sobre el pecho porque así cobijaba su cuerpo de las impurezas del mundo, se movían y danzaban en la misma dirección que las llamas de los cirios. Las sombras de sus manos se alargaban y parecían diablillos merodeando por la iglesia. La veía levantar la cabeza, como en los milagros que contaban, y mirarla a ella con los ojos como aguijones que la atravesaban. Oía su voz áspera y rutinaria de la oración de la mañana:

Bendita sea tu pureza,
Y eternamente lo sea,
Pues todo un Dios te recrea
En tan graciosa belleza,
A ti, celestial Princesa,
Virgen Sagrada, María,
Te ofrezco en este día,
Alma, vida y corazón;
Mírame con compasión:
No me dejes, Madre mía.

Y Mundeta pensó por vez primera que la muerte era terrible, llena de sombras y de terrores. Su madre, desde que el padre se había ido del mundo porque se había hecho viejo en él, la acompañaba cada día hasta la puerta de las Salesianas de la calle de Sepúlveda. Le gustaba hacer pequeños regalos a aquellas monjas silenciosas que hablaban en castellano, que eran maestras en labores y en canto y que vestían hábitos de tela compacta y de color negro con un velo y una cofia inmaculados en torno a la cabeza. Las Salesianas consideraban a la madre de Mundeta casi como una santa y se quejaban ante ella de los temores de la hija. La madre la defendía sin convicción y obligaba a Mundeta a caminar con la cabeza bien alta y el pecho fuera cuando pasaban por delante del colegio de la Presentación, el colegio de las niñas ricas del barrio, que llevaban dos uniformes, uno de verano y otro de invierno. El de invierno con un enorme sombrero negro y una faja azul y el de verano confeccionado con tejidos más delgados y de colores claros. Y la madre le decía que no debía temer a nadie, ni a los muertos ni a los vivos, y que debía procurar no llorar nunca. Y la consolaba cuando se encontraba a sí misma fea, como el día en que vio a una niña rubia, los cabellos como hilos de oro, que tocaba el arpa en el colegio de las Salesianas mientras las hermanas lloraban. Los cabellos la envolvían como un mantón dorado, llegaban al suelo, y parecía la Madre de Dios arriba en el escenario. Su madre le dijo que ella también sería hermosa, y mucho, porque llevaba una pequeña corona de color de castaña cruda. Pero Mundeta se miraba al espejo y veía una figurita jorobada, de tan encogida como andaba, con el rostro lleno de granos. Ella no ignoraba, por la cara de decepción que ponía su madre, que había nacido un poco de soslayo y carente de todas las bellezas que favorecían a las demás. Por mucho que su madre le explicaba que a las rubias les caía el cabello y se volvían calvas como la tía Sixta, o que sus ojos serían grandes, Mundeta intuía que iba a tener que pasar por la vida desapercibida y agradeciendo el simple hecho de existir. Y odiaba a su madre cuando repetía, tanto a las monjas como a las tías de Valldoreix, esta criatura nunca me crecerá, parece un lirio de San Antonio a punto de marchitarse, tan débil, tan poquita cosa.

...y me puse a correr, con los bajos de las faldas llenos de barro y el vestido rasgado por arriba. Tomé de nuevo el camino sinuoso, que ahora me parecía un camino de mal andar, lleno de charcos, de barrizal. Y en la Avenida de los Tilos hundí la cabeza bajo el viento, bajo la lluvia, para no llorar, para borrar la sombra. Los cabellos me cubrían la vista y me enfrentaba al fuerte viento, que ahora me arrastraba con fuerza fuera del Parque. Al salir tomé un coche de punto que pasaba, en dirección al Borne, cruzando el Salón de San Juan y dije al cochero, a casa, lléveme a casa, que está en la calle de Córcega. De prisa, que no me encuentro bien. Le dije que no me encontraba bien porque estaba sin aliento, porque no quería estallar en sollozos, allí mismo, dentro del coche de punto. Estuve temblando hasta llegar a casa, ante mis ojos se sucedían luces y sombras borrosas, tenía la vista empañada. Aún temblaba cuando, en casa, Francisco me tomó y me puso en la cama, sin sangre, pálida de muerte. Me estremecía en la cama, bajo las sábanas y pese a la bolsa de agua caliente que tenía al lado. Francisco lloraba y decía que el tiempo había cambiado de repente. Me miraba con los ojos descoloridos y daba órdenes a las criadas. Yo estaba exánime cuando le decía a Francisco que el aguacero me había pillado de lleno antes de llegar a casa de Pauleta.

Y me tapé entera, también la cabeza, bajo

las sábanas, mientras Francisco pedía una taza de hierbas a la camarera y cerraba los postigos del balcón. Me estremecía bajo las sábanas, que me envolvían como una mortaja de amor. Y poco a poco sentí un ardor que me subía por el cuerpo. Un ardor que me llenaba todas las venas. Notaba el cuerpo como una brasa, ardiente como un tizón. Y lo movía a uno y otro lado, pero no era fiebre, y el cuerpo se combaba hasta que la frente tocaba las rodillas y, luego, se retorcía como si lo hurgaran desde abajo. Las manos no se mantenían quietas. Empezaron acariciando el cuello, rodeándolo, hasta que la boca me quedaba justo debajo del sobaco. Y luego acariciaban los senos, los apretaban, y las manos se calentaban, se calentaban a medida que iban bajando... Fue entonces cuando soñé con el monstruo que no me ha abandonado en tres días. Aquel monstruo rojizo, enorme, que tenía pechos y cuernos y la cara de mujer y de diablo, así, mezclado. Y los aullidos llenaban la habitación. Unos aullidos siniestros. Y los ojos del monstruo se acercaban y se alejaban. Eran los ojos de la sombra, ojos saltones, pegados a las narices, arañados y sanguíneos. Y las imágenes de mis muertos, los papás, el abuelo, me gritaban que era una adúltera.

Tan poquita cosa. Tenía razón su madre. Por esto apartó de golpe el brazo de Patrícia y empezó a caminar de prisa. La Mundeta-Greta oía como si nada los gritos desconcertados de Patrícia que le rogaban que volviera en cuanto la mujer vio que no la alcanzaría. Pero la Mundeta-Greta ya no la oía, cruzaba la calle Viladomat, la calle Borrell, la calle Urgell, siempre en línea recta, sin salirse de la acera izquierda de la Avenida de las Corts Catalanes, la empujaba una furia nueva, el deseo de ver a Ignasi, de comprobar, con la presencia física del hombre que la amaba, cómo se disipaban las brumas que la habían tenido toda la vida atrapada. Dejaba la calle Villarroel, la calle Casanova, la calle Muntaner, impaciente; dejaba a un lado a los viandantes, casi frenética. No se daba cuenta de que hoy la ciudad había adquirido un aspecto de espera insólita, tensa, de quietud desconfiada. No percibía que se paseaba muy poca gente, y que quienes lo hacían miraban atrás a cada paso, se paraban en cada portal, no disimulaban el miedo. Era un ambiente de incertidumbre, como si las agujas de un reloj aminoraran la marcha, como si el tiempo estuviera esperando un motivo de trastorno. El silencio que llenaba la ciudad parecía el preludio de un gran estrépito final. Pero Mundeta Ventura no captaba nada de esto, la Mundeta-Greta remontaba las Corts, cada vez más cerca de la Plaza de la Universidad, nerviosa, ajena al espectáculo público, obsesionada por una sola idea. Patrícia Miralpeix, la mujer nacida en el campo, educada en medio rural y casada con un poeta, se quedaba atrás, corría y jadeaba, cada vez más desorientada. Se convertía en un puntito negro, en un puntito minúsculo, entre los árboles de la calle de Viladomat, un puntito que lanzaba gritos y que nadie escuchaba. La

Mundeta-Greta cruzó la gran avenida en dirección a la parte del mar, volvía el miedo de siempre. Tenía razón su madre: muchas veces se había visto a sí misma como un lirio a punto de marchitarse, delicada, frágil. Pero ahora sentía su cuerpo tenso, como una caña, fuerte y ligera a la vez. Mundeta-Greta se hallaba ante el Tostadero y se detuvo bruscamente. Tenía que entrar, tenía que entrar. Pillaba al vuelo las palabras de los que cruzaban corriendo la Plaza de la Universidad, allí el ambiente era rígido, concentrado. La puerta del Tostadero giraba sobre sí misma. Mundeta-Greta sentía muy vivamente un calor en las mejillas, el sudor la empapaba. Mundeta-Greta abrió, triunfal, como en un victorioso final de acto, las puertas del Tostadero. Una bocanada la hizo retroceder: distinguió, entre la atmósfera del tabaco y el calor de los cuerpos, la palidez de un rostro macilento. Greta desapareció y Mundeta no supo qué decir a una cara que exhalaba un triste efluvio de cadáver.

El camión estaba lleno de mujeres, Mundeta, le dijo. Iban también dos muchachos, e Ignasi repetía, eran muy jóvenes. Había que llegar a Sabadell. Eran refuerzos. Las mujeres no tenían armas. Y vi que el camionero se daba cuenta demasiado tarde de que la carretera de la Arrabassada es muy empinada y muy difícil de subir. Yo veía que se atrasaba, me imaginaba que el camionero debía de contar las vueltas que faltarían para llegar a terreno llano. En una curva se toparon con los civiles. La voz de Ignasi era ausente, maquinal. Los tricornios avanzaban y el camión no podía acelerar más.

Y las mujeres y los dos jovencitos sólo llevaban dos carabinas, ¿comprendes, Mundeta? Los mausers brillaban, su destello llegaba hasta el camión, dos o tres curvas más allá. Aceleraba, no podía, jadeaba. Oí dos tiros. Y el camión, más de prisa, más de prisa. Y yo apretaba tan fuertemente los puños que tenía los nudillos de los dedos sin una gota de sangre. Un proyectil dio en el blanco. Vi a uno de los dos chicos caer. Luego oí un aullido que me desgarró el corazón. Un silencio de muerte. El camión se detuvo al terminarse las curvas, justo delante de mí. Me acerqué. El camionero me miró con ojos de comadreja, ¿quién eres, de dónde sales? Yo, y farfullé que los esperaba con cuatro mausers, que me encargaron de. Y él me interrumpió, ¿y hasta ahora no das la cara? Yo solamente quería saber cuántos heridos y se lo pregunté. Él me dijo que ninguno y yo respiré, aliviado. Y él escupió, no sonrías tan pronto, hijo de papá, han matado a dos.

9 de junio de 1909

Ayer Francisco me pidió que volviéramos a dormir juntos. Ya no se atreve a decirme que le toque el *Vals de Coppelia*. Desde que hemos tenido la niña me deja más tranquila. Así, pues, voy haciendo mi vida. No quise celebrar mi aniversario. ¡Treinta y cinco años! y le dije que era mejor que cada uno tuviera su habitación. Que si quería podíamos trasladar los muebles a la alcoba conjunta.

Ya empiezo a encontrarme mejor. Cuando nació la niña, faltó poco para que las dos nos fuéramos al otro barrio. La niña es fea y triste. Tiene unos surcos en la cara que le dan un aspecto esmirriado; sus ojos son saltones, como si fuesen de cristal. No será feliz. Una parte de culpa la tiene Francisco, ¡ponerle Ramona! Él decía que era un nombre precioso, un nombre para una chica sin humos ni pretensiones. A mí me parece un nombre pueblerino, para mujeres desgraciadas. Si hubiéramos tenido un niño... Un hombre es libre, puede elegir su camino. Una mujer no tiene nada que hacer en el mundo. Al comienzo me daba aprensión el manojo de carne arrugada y reseca que ni siquiera sabía chupar la leche de la nodriza. Adelgazaba y pensé que se me moriría. Desde que nació me siento desazonada, sin ganas de ver a nadie. Ni de pasear ni de ir al teatro. Francisco me regala, me trata como una reina, me mima, solícito, y me mira con esos ojos descoloridos que jamás me han comprendido. Me quiere llevar al teatro a ver Guimerà, me compra claveles, y las últimas revistas de modas que llegan de París y que son las más caras. No se enfada cuando despido a las criadas. En el barrio nos critican y dicen que tengo muy mal carácter, que no aguanto a ninguna criada porque les doy poco de comer y las obligo a ir a misa.

Pienso que soy demasiado mayor para tener una hija. Es como si me hubiese robado una buena parte de mi sangre, como si me hubiese dejado vacía por dentro. No sé si la quiero a la niña. Ella no tiene la culpa de que me cueste entender las cosas, de que sufra estas ansiedades que me hacen cambiar el ánimo en cuestión de minutos. Hoy mismo he tirado al suelo una taza de porcelana porque mientras bebía el té me he visto reflejada en ella. Mi rostro se me mostraba viejo, con unas arrugas finas y largas alrededor de los ojos, con unas terribles bolsas bajo los párpados, como un trazo oscuro. Era una cara de mujer deshecha, que está en las últimas, con una papada que no me deja abrochar el cuello de los vestidos, con las manos hinchadas por las venas, por las venas de un azul claro. He tenido un presentimiento, como la vez aquella en que los Domingo nos regalaron una postal, con relieve, donde había un gato negro y una copa de champán encima de billetes de cien pesetas. «Amor y fortuna», rezaba. Amor y Fortuna, dos palabras que se hacen daño la una a la otra, dos palabras que se destruyen, amor y fortuna. Los hijos son como un espejo. En ellos contemplas tu fin. Su presencia te advierte de él continuamente. Y mi infancia, feliz y tranquila, se aleja dentro del recuerdo y se convierte en la cara desgraciada de la nueva Mundeta.

El primer día que abrieron la Universidad, después de un mes largo, desorientado y caótico, se lo encontró en el claustro de Letras.

Apoyado en una columna, justo delante de su aula, movía la pierna de un lado a otro, con ligeros movimientos. Con las manos en los bolsillos y la cara demacrada, le notó más silencioso, más solitario. Primero ella fingió no verle, pero al final, nerviosa, se le acercó.

–Ah, ¿no te has muerto?

–Hola, Mundeta.

–Me hubieras podido decir dónde te habías metido.

–Te llamé a tu casa, pero siempre me contestaban que no estabas.

–Una buena excusa realmente. Me cabrea encontrarte así, por casualidad, como si yo fuera un amigo cualquiera.

–Mira, nena, para mí eres un inmejorable amigo, pero no hay demasiada diferencia entre tú y un amigo macho.

–Yo te he buscado, ¿sabes? Pero nadie sabía dónde estabas.

–Ya lo sé, me lo dijo Rafa. –La miró con atención–. ¿Cómo te va la vida?

–¡Pse! Yo también he estado escondida. Lo he aprovechado para irme de casa.

–¿Ah sí? No lo sabía. Hace tiempo que no veo a nadie, excepto a Rafa. He estado en un piso donde sólo había una mesa, una silla y un baño que no funcionaba. Menos mal que Rafa me dejó una radio y libros, que si no...

–Él también me decía que no sabía dónde encontrarte.

–Yo no quería ver a nadie.

–Parece que el peligro ha pasado.

–Sí, pero Enric está en la cárcel por mi

culpa. No le habrían seguido si durante aquella maldita asamblea no nos hubiéramos peleado como dos golfos.

—Gajes del oficio.

—¿Cómo se lo han tomado en tu casa eso de que te vayas?

—Puedes imaginártelo. Mamá y la abuela no hacen más que llorar como dos magdalenas. Me lo ha dicho Gèlia.

—No te preocupes. Todo pasa en este mundo. Pronto irán detrás de ti como dos polluelos.

—No lo sé; la abuela vive en otro mundo. Mi madre me da más miedo.

—Es una mujer como todas las que comen ternera en vez de buey, para entendernos. Un ratón de Ensanche...

—¡Deja tranquila a mi familia!

De repente él se dio la vuelta, nervioso. Mundeta advirtió como un ligero tic de espanto en la mirada, pero no hizo caso.

—Te duele mucho cuando alguien insulta a los tuyos. De cabeza volverías a tu casa, si pudieras. Estás hecha de igual tela.

—No amas a nadie. Ni a ti mismo.

—Mira, Mundeta. Las cosas no funcionan porque nos pongamos a bailar sardanas. Procuro amarme a mí mismo racionalmente, y lo hago para no hundirme. Ahora mismo, hace un momento, he tenido la sensación de que me seguían. Si no racionalizara mis sentimientos, incluso el miedo, no sé qué me pasaría. Y tú tendrás que hacer lo mismo.

—Tu complejo de superioridad.

–He procurado ayudarte en algunas cosas. Eso es todo. Te vas de tu casa, pero sólo das el primer paso.

–¿Para ir a dónde?

Cruzaron el claustro y se internaron en el jardín. Resultaba placentero sentarse en un banco y estirar las piernas. La espalda de Mundeta tocó casi los tablones del asiento. Le gustaba el calorcillo del sol, un sol blanquecino y algo mortecino, sobre sus piernas.

–No lo sé exactamente.

–Es la primera vez que admites no saber una cosa.

–Tal vez porque envejezco. He aprendido que hay ciertas cosas que, por mucho que te obstines, no se pueden explicar.

–Sí, te vuelves viejo.

–Vaya, creía que no tenías sentido del humor.

–Yo también me vuelvo vieja.

Hubiera querido levantarse, caminar, hubiera querido hablar, hubiera querido decir cosas a tontas y a locas.

–No sabemos qué decirnos –dijo Mundeta.

–Pequeña, no dramaticemos.

–Tú lo que quieres es que no nos veamos más.

–Pero ¿qué coño dices ahora?

–¿Y si lo que ocurre es que soy yo la que no quiere verte más? Lo que te pasa no es cosa de política. Quieres cambiar de mujer como quien cambia de camiseta.

–No me lo plantees en términos tan vulgares.

–Claro, somos las personas más maravillosas del mundo. –La imagen de la habitación de Anna la hizo enmudecer–. Dejémoslo correr.

–Mundeta, te noto distinta, como si hubieses cambiado.

28 de junio de 1909

Barcelona no es la misma. No sé si envejece, aunque el derribo de las murallas tendría que hacerla más abierta y más europea. Parece la hermana pobre de Madrid, la eterna pedigüeña, la deforme. Ni cuando vamos al Suizo o a la Maison Dorée no veo nada del antiguo encanto de una ciudad civilizada. Siento añoranza de los días en que íbamos al Liceo, cuando representaban a Wagner. Ahora Francisco se ha encaprichado con el cuplé. Hemos visto actuar por vez primera a una tal Francisca Márquez, que se hace llamar Raquel Meller. Es aragonesa, como esos anarquistas que hacen tanto ruido, y no creo que tenga éxito. Francisco prefiere esta Raquel a la Fornarina, sobre todo cuando canta en el Arnau aquello de:

Le decía Manolo
a su prima Naná:
«De París ha llegado mamá,
¡y qué hermoso niño
ha traído de allá!

Y la tuya, ¿de dónde los trae?»
Y contesta la prima:
«Como somos tan pobres,
los niños de casa los hace papá»
Firulí, Firulá...

La Meller le ha hecho a Francisco olvidar Wagner. Yo la encuentro desencajada, ordinaria, vulgar, no tan *cocotte* como la Bella Chelito. Francisco se ríe y sus ojos, pequeños y descoloridos, se van detrás del cuerpo de la cupletista, un cuerpo basto, grosero, borde, y las ventanas de su nariz se ensanchaban en pos de los olores de cortesana que se esparcían por el Arnau...

Ayer viví una pequeña aventura y no quisiera que llegara a oídos de Francisco. ¡Tiene siempre tanto miedo a comprometerse! Yo paseaba con Pauleta por el Arco de Triunfo, íbamos a comprar unos encajes para las cortinas del comedor, cuando de repente una vieja chilló:

—¡África es el matadero de la juventud pobre!

Por arte de magia vimos un grupo de alborotadores, hombres y mujeres, que se lanzaban sobre unos guardias que vigilaban la Audiencia. Los caballos no se hicieron esperar. Dispersaron a la chusma a golpe de sable. Pauleta y yo, muertas de miedo, nos refugiamos en una portería. Cuando todo terminó, el aspecto de la calle era desolador. Había dos heridos que se arrastraban para no recibir más golpes. Un muchachito, un niño casi, tenía una oreja partida.

Y dos hilillos de sangre le ensuciaban la camisa. El alboroto terminó como había empezado y, cuando ya nos habíamos recobrado del susto y nos disponíamos a salir de la portería, oímos a la vieja que lloriqueaba detrás de nosotras:

–Que vayan los ricos a la guerra. Se me han llevado a mi nieto para mandarlo allí, ¿saben?

Es triste que la guerra sirva para matar a la gente más joven, aunque sea pobre. Después, en la Punyalada, nos hemos encontrado con el señor Forns y con Francisco. Han hablado del tumulto. Dicen que han hecho ir a los reservistas a la guerra de África. En toda Barcelona no se habla de otra cosa. El señor Forns ha visto cómo incendiaban el convento de los padres Escolapios de la Ronda de San Pablo. La Guardia Civil, armada, vigilaba la Rambla y sus alrededores. La multitud los atacaba desde el Pla de la Boqueria y las calles de San Pablo y Hospital. El camarero nos ha contado que las mujeres de mala vida de la calle de Robador atizaban a la chusma contra la Guardia, y que hay una mujerzuela, una tal Gallinaire, que ha desnudado a las monjas y ha expuesto sus cuerpos desnudos ante las masas. No entiendo por qué han de blasfemar y cometer sacrilegios si se trata de una guerra.

Francisco no las tiene todas consigo. Me ha dicho, al llegar a casa, que nos iremos a Siurana con la niña. Parece que la ciudad está en peligro.

Era como leche fresca la piel que aquella tarde del treinta y cuatro Ignasi Costa amó con tanto ardor. Los ojos de Ignasi, candentes como los ojos en lucha de un halcón, se incendiaban contando a Mundeta los hechos de la carretera de la Arrabassada. Sentado en un rincón del Tostadero, tardó un buen rato en darse cuenta de su presencia. Parecía trastornado. Balbuceaba cosas incoherentes, y se refería a la proclamación del Estado catalán por Companys. Mundeta se avergonzó de ignorarlo y recordó el aroma de chocolate espeso del día en que empezó la República. Los dos hechos se interferían dentro de su pensamiento. La inquietaba el trastorno de Ignasi, como si viniera de otro mundo. Han sido aterradoras, Mundeta, las muertes de la Arrabassada. Y yo estaba allí, contemplando los hechos como un señorito. Mundeta no sabía qué decirle. Es como si yo hubiera sido el verdugo. Como si fuera el autor de los cuerpos despanzurrados. No le costó ningún esfuerzo salir cogida del brazo de Ignasi y caminar por la calle apretando su piel. No le costó ningún esfuerzo amar aquella tarde los ojos de halcón que la miraban con desolación. La piel como leche fresca adquiría nueva vida. Y cuando Ignasi la desnudaba lentamente, ella entraba en un sueño. Qué angustia, repetía, los muertos de la Arrabassada. Y Mundeta había encontrado natural entrar en una habitación desconocida. Teníamos que llevar armas a Sabadell, era preciso que toda Cataluña se defendiera. La besaba y le decía, esto es mi país. Cuando me alejaba de él, deseaba regresar. Soy un soñador, quería luchar, sabes, para que en Cataluña no hubiera divorcio entre las cuestiones obreras y las del país. Por esto me he ido a la Arrabassada. Ella no había preguntado por qué la había llevado a un lugar que no conocía. Pero cuando he llegado, no he hecho nada. Me he quedado como aturdido, observando a los heridos. Mira mis manos, Mundeta. Y ella se las miraba, las besaba y no sabía qué decirle. Estas manos no han entregado los mausers, estas manos se han escondido en los bolsillos y han acompañado a las piernas monte abajo. Y no me he detenido hasta llegar al Tostadero, como quien dice. Porque tenía mucho miedo, era como si el estómago se agriara por el miedo y se me quisiera salir por la boca. Me han venido ganas de vomitar. Y lo he hecho, Mundeta, pero el miedo, que era lo que quería expulsar del cuerpo, se me ha quedado dentro. Y no me he detenido hasta llegar al Tostadero. Y ella le acariciaba pero no sabía qué decirle. Las armas tenían que llegar a Sabadell, era cuestión de vida o muerte. Comprendes, no tenemos libertad y yo creía, hasta hoy, que la violencia era necesaria. Y ella le besaba la espalda. Y los ojos de halcón lloraban. Yo he visto los cráneos de aquellos dos chavales destrozados en medio de la carretera, Mundeta. Y cuando he visto que los civiles corrían hacia el camión para atraparlo, he tirado los cuatro mausers muy lejos. No quería que me atraparan a mí, y me he echado a correr por el atajo. Y miraba a los civiles como si quisiera despedazarlos con la fuerza de mis manos, pero era mentira, Mundeta, porque lo único que quería era huir. Y no me he parado hasta llegar al Tostadero, y ella, con el pelo en desorden, blanca como leche fresca, le acariciaba la nuca. Y unas diminutas lágrimas se esforzaban por salir de los ojos del halcón. Y entonces cayeron, también diminutas, casi invisibles, dos gotas de sangre como dos capullos sobre las sábanas.

Al cabo de tres días le dijeron, ¿sabes el Costa, el chico que estaba como una cabra? Se ha suicidado.

El chico que estaba como una cabra se había suicidado con un buen trago de salfumán. Y las veraneantes de Valldoreix, las que quedaban, mientras iban a esperar a sus maridos a la estación, comentaban el hecho. Todas sabían que se había paseado como un loco por entre los muertos de la Arrabassada y tía Sixta opinó que era un acto de orgullo muy poco cristiano eso de suicidarse.

3 de diciembre de 1918

Francisco está muy enfermo. Ayer creí que le cogía el estertor de la muerte. Respiraba con sonidos ásperos, roncos, se ahogaba como si tuviera agua hirviendo en la garganta. Lo incorporé y vomitó sangre, era una sangre negra, como el alquitrán. Ya no se levanta, se lo hace encima, las manos le tiemblan y todos los objetos se le caen. Come como un pajarito. A medida que avanza la hemorragia, tiene los ojos más pálidos y hundidos. El doctor Moragas tiene que pincharle el vientre para sacarle agua. Ni las fórmulas que me da el doctor le hacen ya ningún efecto. Cuando tuvo el primer vómito de sangre creímos que era de las medicinas, luego se ha ido poniendo cada vez peor, tiene desvaríos todo el día. Han venido las primas de Valldoreix. Sixta me ha dicho que se llevará a la niña. Sixteta jugará con ella.

Desde que se puso enfermo, hace ahora unos diez años, Francisco nunca ha estado bueno. Entonces tenía los ojos de color amarillo, como un canario. El cuerpo también lo tenía amarillo y se quejaba de que todo le picaba. Pero yo no me preocupé. Cuando se le hizo agua en el vientre, fue perdiendo poco a poco el color, sin ánimos para hacer nada, siempre junto a las palmeras de la galería, sentado en una mecedora, con los pies estirados porque decía que se le hinchaban. El médico me dijo que tenía el hígado duro como una piedra y que por esto el vientre lo tenía lleno de agua. Desde que ha empezado a vomitar –lo hace cada día un par de veces–, me inquieta. No me atrevo ni a mirarlo cuando le llevo el caldo en la taza para enfermos. Se aferra al pitorro, y sin embargo se le derrama líquido por las comisuras de los labios. Mientras se encogía en la mecedora y gemía, aún podía escucharle. Ahora, ni eso. No lo entiendo cuando habla. Parece un polluelo, así, tan desvalido.

Mundeta, cómo has cambiado, le acababa de decir Jordi. Miró a su alrededor: las mismas figuras esbeltas y jóvenes, los vestidos de *boutique*, largas melenas, la eclosión de la moda unisexo. También se lo había dicho su madre, Mundeta, cómo has cambiado. Y no sabía por qué. Los acontecimientos vienen un poco porque sí, sin prólogos, sin interludios, y se van sin siquiera un epílogo, dejando atrás sólo la huella del envejecimiento. Se dio la vuelta para observar más de cerca la cara de Jordi, una cara fatigada, concentrada. Él también había cambiado: ¿o eran las cosas que les rodeaban las que tenían otro rostro, otro color? Jordi apoyaba la nuca sobre el respaldo del banco.

–¡Vete a la mierda!

–¿Qué te pasa? ¿Acaso no podemos hablar sin pelearnos, Mundeta? Oye, tienes razón, tendría que haberte dicho dónde me escondía...

–Me lo dices después, cuando ya ha pasado. Ahora ya no sirve de nada lo que pueda decirte. Era antes, cuando estábamos solos y desorientados, sin saber qué hacer, cuando nos necesitábamos de verdad.

–Yo no te necesitaba.

–Tienes razón, tú nunca has necesitado a nadie.

Él la miró inquisitivamente.

–No será porque te cabreaste el día de lo de la casa de Anna, ¿no?

Aquello ya era demasiado. De repente sintió asco. ¿Qué podía hacer, sino poner tierra por medio? Se levantó de prisa y se puso a correr para salir al jardín. Atravesó el claustro de Letras –iba tan rápido que no veía a nadie– hasta llegar a la calle. Quería que el escenario de la ciudad se transmutara.

La ciudad... Una ciudad que no era la misma que la idílica Barcelona de los años treinta, ni, mucho menos, que la legendaria de fin de siglo. Cruzó la Gran Vía y pasó por delante del bar Estudiantil. Las prostitutas empezaban el trabajo. Desde el interior, un hombre le silbó. La ciudad cambiaba, se deformaba, se adulteraba, adquiría una imagen falsa, a la medida de la letra impresa. Giró en la esquina y tomó la Ronda hasta la plaza de Cataluña. Cada vez aligeraba más el paso, como si quisiera abandonar alguna masa concreta. Si observaba a la gente, advertía que había perdido las ganas de pasear, que corría nerviosa, atareada, con la cara ausente, meapilas, imágenes desterradas de la poesía. Jadeando se sentó en una silla de la plaza. Habían desaparecido los tranvías, se veían más autobuses, parecía como si hubieran instalado todos los bancos del mundo, una alegre exhibición de supermercados, una lista inacabable de almacenes, de sucursales de almacenes, de cajas de ahorro. La Plaza de Cataluña era una calcomanía ejemplar. La ciudad... En los cines hacía la temperatura adecuada y, además, podías escoger entre un excelente musical o una película a favor o en contra de la guerra. Se estaba extinguiendo la raza de las *gogo-girls*. En el mercado aparecían, dinámicos, veloces, confortables y seguros, los nuevos automóviles. Fidelidad al slogan, la inversión es el motor de la economía. Se multiplicaban los parkings subterráneos. Los coches reducían la velocidad. Faltaba espacio. Polémicas, para los iniciados, sobre las zonas verdes que estafaban al ciudadano. Barcelona de finales de los sesenta, diversa y ecléctica, llena de tópicos que servían para engolosinar con imágenes gratuitas a quienes cultivaban la literatura gris, de oficina, carente de nervio e imaginación.

6 de diciembre de 1918

Últimamente hemos pasado muchos disgustos. Y la vida se le va por los ojos. Durante la huelga general se fue al agua el negocio de la construcción; la gente no se fía de los prestamistas particulares. Todo ha de hacerse en compañías, en sociedades. Con la guerra nadie le pedía créditos, y él no disimulaba su antipatía hacia Inglaterra. El comercio con los aliados, decía, no nos puede favorecer. A mí, me daba igual que ganara Inglaterra, Francia, Alemania o el emperador de la Argentina. Pero tuve que empeñarme las joyas de casada y no las he visto más. Y me dan pena mis rubíes rojos como la sangre.

Ni la niña nos alegró la vida. Pobrecita, tan escuálida, como la cara de Francisco, una cara bobalicona, de enfermo. Recuerdo sus discusiones con los Domingo sobre Wagner, y cómo le gustaba hacerse el procaz cuando íbamos a ver a la Meller. Ahora tiene los ojos lacrimosos, la saliva le resbala por la barbilla, su pulso es vacilante, y yo no puedo dejar de pensar en su muerte. Que Dios me perdone.

Reconozco que ha vertido en mí, que no soy ni hermosa ni fea, toda la ternura, todo el amor que un hombre es capaz de ofrecer a una mujer sin perjudicarse a sí mismo. Ha sido gentil, amable, discreto, todo un caballero. Me ha querido con mesura, con corrección. Pero nunca me he sentido seducida por él. Parecía que cronometraba las cálidas manifestaciones que debía prodigarme, que consultara el reloj cada vez que tenía que abrazarme o besarme. Si alguna vez yo me irritaba por su lentitud, me miraba como un perrito maltratado y me farfullaba, no te entiendo, Mundeta, no sé lo que quieres.

Quizás escribo todo esto para justificarme o para compadecerme. Nadie entenderá que, en el fondo, no me importa quedarme sola. Soy estúpida, Dios mío, si pienso que la muerte de Francisco va a resolverme alguna cosa. El corazón me dice que nada cambiará.

Cuando reflexiono sobre nuestro matrimonio, creo que Francisco me ha querido demasiado. Su amor ha sido un amor fiel pero chapucero, aburrido, y no ha despertado en mí más sentimiento que la comprensión y la aceptación de una convivencia obligada. ¡Si por lo menos su vida hubiera tenido miedo a arriesgarse a nuevas empresas, si no se hubiera conformado con hacer sólo de prestamista! Nunca se ha querido comprometer, siempre con sensatez y prudencia. Ahora que todo el mundo se ha enriquecido con los negocios de las casas de juego, ¡él se pone enfermo y deja de trabajar! Nunca me ha hecho palpitar por la angustia de perderle, nunca me ha hecho tener miedo de quedarme sola, no ha aguijoneado mi imaginación. Francisco no ha sido nunca un hombre a ganar, un riesgo, un peligro, un triunfo para arrebatar a posibles rivales. He vivido persiguiendo quimeras, ilusiones que sólo existían en mi mente. Intuía que su amor, tan seguro, ordenado y minucioso, no me provocaría otra sensación sino el asco o la monotonía. Siempre me he sentido atraída por otros mundos, desconocidos o alejados, imposibles de conseguir. Ignoro si se trata de algo pecaminoso, pero no me pienso confesar de ello.

Hago un balance de la vida de Francisco y se me aparece como la de un señor auténtico. De los que han pisado la tierra sin hacer ruido, sin perturbar la plácida carrera de los acontecimientos. Francisco era de una clase de hombres que fueron liquidados por los estragos del siglo. Ahora que desvaría, quisiera devolverle los mimos, las delicadezas que tantas veces me irritaron o me hirieron. Desearía revivir los primeros días, quién sabe a dónde han ido a parar, Señor, aquellos días, muy pocos, en que creí que nuestro amor sería romántico de verdad. Me veo joven, unos veinticinco años atrás, llena de aspiraciones, aspiraciones que el curso del tiempo ha convertido en una comedia vanidosa. Quién sabe si no me di cuenta demasiado pronto de que yo no estaba hecha del mármol de las que aman en silencio, de las que edifican amores perdurables, como es debido. ¡Qué lejos quedan los primeros días de nuestro matrimonio! Las comidas en el Suizo por seis pesetas: «*mouton aux pommes, gélatine truffée, soufflé chocolat*»... Las jornadas del Liceo, el lucimiento de mis joyas, los rubíes, el anillo de jade, escuchando la *Walkiria*, el *Parsifal, Sigfrido*... El viaje a París, las miradas ardientes de Francisco cada noche... Las pieles que envidiaba a las otras mujeres, los renards, las martas del Canadá, los armiños, los visones, los astracanes, pieles de verdad. Los paseos por Barcelona, por el Paseo de Gracia, los aperitivos en La Punyalada, los saludos. Sus versos, los cuadros que me dedicaba... Pero de las ternuras del amor, no he conocido nada. ¿Será pecado haber deseado toda la vida las caricias de unas manos desconocidas, poder temblar de vergüenza y de felicidad en todo momento, poder desterrar el pudor de mi cuerpo? ¡Si no me hubiera obstinado en sentirme desengañada, ya desde el primer viaje a París, o en juzgar ridículo que Francisco no me regalara sino un libro al casarnos! Se titulaba *El buen muchacho*. Francisco era negado para descubrir lo que hay de hermoso en cualquier historia. Es como la niña. Por esto ella busca protección junto a su padre, se miran y se entienden sin decirse una sola palabra. Son dos seres infelices.

Las mujeres siempre hemos de comparar. El estudiante de la mirada llameante, de los cabellos rizados como las dos figurillas de mármol, ¿dónde debe de estar? No olvidaré jamás sus ojos sanguíneos, aquella mañana, en el Parque de la Ciudadela... Todas las historias, miradas por el lado que se quiera, tienen el mismo final. Somos como animalillos.

Cómo has cambiado, Mundeta. Jordi se lo había dicho más de una vez: no somos más que partículas minúsculas, incontables, inexistentes, casi invisibles. Nosotros no somos el ombligo del mundo, preciosa. Nosotros no somos los «bellos», los «jóvenes» ni los «inteligentes». Somos unos miserables títeres, exquisitos y refinados. El tiempo cambia, el tiempo todo lo trastorna, el tiempo nos hace ver que nuestras acciones son mínimas, intrascendentes... Y no quiero decirte que son solitarias porque esto sería la única mentira. Has de comprender, pequeña, que no somos más que moléculas obsesionadas por entender, en la pobre medida de nuestras fuerzas, este coño de mundo donde nos ha tocado vivir.

Una niña de unos tres años asustaba, a su lado, las palomas. Los pájaros alzaban el vuelo, desplegando las alas alegremente para ir a reposar al otro lado de la plaza. Ves, pensó, toda esta gente que es feliz en la Plaza de Cataluña, quién sabe dónde parará mañana. Alguno habrá muerto, alguno de estos chiquillos que se obcecan en perseguir palomas recordará esto de hoy como un hito de felicidad desaparecida. Sonrió, ya vuelves a las mismas, con tu endiablada manía de hacer literatura.

Intuía que la pelea con Jordi iba a ser el

comienzo de una retahíla de malentendidos; presentía que nada volvería a ser como antes, por mucho que se lo propusieran. Una serie de imágenes fílmicas le pasó por la mente, poder atraparlas, guardarlas y hacerlas suyas, únicamente de ella, convertirlas en fragmentos de recuerdo. La relatividad de la vida, que tanto predicaba Jordi, ¡qué cosa tan absurdamente triste! Se habían imaginado una concepción del mundo racional y científica, una concepción que solucionaba cualquier error, cualquier problema, y, a las primeras de cambio, habían chocado contra esta concepción como topa la cornamenta dura y tozuda de un ciervo contra el árbol que desconoce. Habían reaccionado como los millones y millones de personas que habitan el universo, vulgarmente sin una pizca de ingenio, sin un atisbo de originalidad, sólo con la contención de quienes no están capacitados para luchar. Ni ella, ni nadie como ella, ni tampoco nadie como Jordi cambiarían el mundo. Por el mero hecho de haberse marchado de casa, de envanecerse de no creer en Dios, de hacer el amor libremente, de incidir en la vida política universitaria... No, no iban a ser ellos quienes lo cambiaran. Había razones sólidas y fuertes, que no les pertenecía, razones desconocidas tal vez que nunca les correspondería sentir. Sentir... Quizás aquélla era la palabra clave. Y ella estaba cansada de defender teorías que jamás había sentido.

Sentir aunque fuera sólo un poco. Se levantó de la silla, nerviosa, y empezó a caminar en dirección a la Rambla. Cruzó, por en medio y sin darse cuenta de los semáforos, el trozo que quedaba de calle. Bajaba por la Rambla, la última reliquia de una personalidad abatida, como diría Jordi, y no miraba los quioscos que alegraban la fiesta de los que paseaban. Los dejaba a un lado, como si no existiesen, y las flores, pulcras y sugestivas, los pájaros, animales indefensos por el carácter y por el físico, los periódicos y los libros que reclamaban un comprador. Tal vez todos aquellos objetos, fieles y silenciosos como la noche barcelonesa, no serían de ahora en adelante más que fragmentos de recuerdo. Como todo lo que había dejado en su casa. O como todo lo que acababa de enterrar en el jardín de la Universidad.

2 de enero de 1919

Francisco ha muerto esta madrugada. Dios le haya perdonado. Los últimos días no reconocía a nadie, desvariaba y repetía recuerdos de infancia, así como la palabra mariposa. «Mariposa, mariposita –decía–, algún día te atraparé.» Y lo decía con la boca babeando. Me he pasado más de tres meses limpiándolo, lavándolo, porque se hacía sus necesidades encima. Su porquería llenaba la cama, ensuciaba las sábanas, alguna vez llegaba hasta la alfombra. El doctor Moragas, una semana atrás, se cansó de pincharle el vientre para sacarle agua, fue entonces cuando me dijo que no había nada que hacer, que los vómitos no eran consecuencia de las fórmulas ni de las medicinas, sino que el hígado se le estaba deshaciendo, y que todo el asunto venía de aquella vez que los ojos se le habían puesto amarillos. Yo le dije que Francisco siempre había tenido los ojos descoloridos. Pero el doctor me contestó que no tenía nada que ver. Desde que dejaron de pincharle el vientre, Francisco ya no se movía en absoluto, con toda la parte hinchada mirando hacia arriba. Ayer llamé a mosén Pere, me pareció que se le acercaba la hora y que tenía que recibir el Santo Viático. Saqué las toallas de comulgar –las tenía guardadas con tomillo y anís desde que se murieron los papás– y dispuse una especie de altar al lado de la Virgen de la Merced. Quedó muy bonito. Francisco veía muy poco, pero se daba cuenta de lo que decíamos, pese a que hablábamos muy quedo. A veces parecía que sus labios se movieran siguiendo las oraciones del cura. Hacia las dos de la madrugada –yo estaba a su lado, medio dormida en la mecedora– ha empezado a vomitar un líquido denso y muy negro que parecía el hígado. Otras veces, para que evacuara mejor, le incorporaba y le inclinaba hacia delante para aliviarle el ahogo inmediato. Pero esta noche no le he incorporado. Quería evacuar más, lo intentaba, pero se ahogaba, se le estrangulaba la garganta, el líquido entraba y salía, y la cantidad mayor la tenía atascada en la nuez. Los ojos se le fueron abriendo de par en par, la mirada se le iba volviendo fija, y movía la boca poniendo los labios redondos, en un círculo muy pequeño, como un pez. Jadeaba. Su piel se tensaba, se volvía de color lila. Luego se ha oscurecido hasta adquirir un color violeta, casi negro. Le he colocado la cabeza sobre las almohadas, poco a poco. Le he arreglado las puntas de la funda de la almohada, le he cerrado los ojos y le he puesto los brazos bajo las sábanas.

Las piernas ya no me dolían, como si las varices se me hubieran vuelto hililllos de miel. Llegaban un montón de ambulancias, de camiones del ejército. Dejaban los heridos en el suelo y venían dos hombres y los recogían. Trajeron a una anciana con el rostro deshecho y que gemía en voz baja. Pensé, qué suerte, mamá está en Siurana. El viejecito de ojos brillantes, que me había dicho que era de la FAI, no dejaba de hablar. ¡Huy, a cuántos fejocistas llegamos a matar! Como que no entendíamos qué eran. Nos hacíamos unos líos, rediantre, entre ellos y los otros. Y me dijo que también se había hartado de quemar santos, santos de todo tipo, de las iglesias y de las casas de los tragasantos. De yeso, de madera, de tapicería, santos conocidos y santos sin ningún renombre. Escapularios, medallas y estampitas bordadas. Pero ¿quieres que te diga una cosa? Y me clavó los ojos como si quisiera perforarme, a mí que nadie me toque a san Antonio, mi hijo se llamaba así, Antonio, o sea que nadie me lo toque porque te juro que lo dejo frito para toda la vida. Y sentía su aliento que me quemaba la piel, tan cerca lo tenía. Hedía a tabaco de masticar, o de alcohol y tabaco mezclados, un olor fuerte, pegajoso. Como la sangre coagulada, manchas de sangre sólida, que quedaba en las heridas de los muertos y que nadie limpiaba. Y la cara de monstruo se ensanchaba y yo la veía plana, con un promontorio en medio que era la nariz y dos lagos revueltos que eran los ojos, como si estuviera en el cine en primera fila.

Me preguntó que cuándo me había casado, si había sido tan pronto salí de las Salesianas o después, y yo le dije que no, que antes había pasado por la Cultura de la Dona. Y apoyó su cabeza sobre el azulejo, como si estuviera muy cansado, y que qué hacía allí. Y yo le contesté que aprendíamos muy poca cosa, lo que se dice lo justo para ir tirando. Y me dijo, te gustaba. Y yo, pse, qué quiere que le diga, ni sí ni no, hacíamos de señoritas de casa bien, sin rentas pero con aspiraciones. Que queríamos resolver nuestra situación con una boda de una cierta dignidad y nos aterraba quedarnos para vestir santos. Pero que yo tenía muy poca gracia para coser y para bordar, punto de cruz un día, calado al día siguiente, festones, argollas bordadas con puntitas de fantasía, cenefas, aplicaciones con punto artístico, adornos, quizás el día que me tocaba ortografía me las apañaba mejor. Le dije que nunca había sido una mujer despabila-

da y que suerte tenía de mi mamá, que mamá era una mujer fuerte y que me parecía que no había llorado nunca, ni cuando se murió mi padre. Y él me preguntó que qué pensábamos de los anarquistas, y yo enrojecí como un puñado de cerezas y le dije que mi madre siempre había sentido una secreta simpatía por ustedes, porque cree que en realidad son unos románticos y unos idealistas y dice que no es malo eso de querer cambiar un poco el mundo, que sólo le daba rabia todo lo que ocurría con la religión. Y él, pero tú qué piensas, y yo, que hay cosas de esta guerra que no las acabo de entender, que me parecen muy liadas. Y me di cuenta de que era la primera vez que hablaba durante tanto rato con un hombre como aquél y se lo dije, y también que me los imaginaba más satánicos, más diabólicos. Y él me preguntó que qué quería decir con aquello de satánicos y yo le contesté que me hacía el efecto de que eran como demonios, muy espantosos, capaces de hacer daño a las personas inocentes, pero en seguida le dije que él no ponía cara de demonio. Y se puso a reír, como demonios nosotros, qué gracia, dijo.

Y me puse algo nerviosa y le empecé a contar un montón de cosas de mi familia. Que si estaba muy contenta de que mamá estuviera en Siurana, que si sentía nostalgia como una tonta, que si tenía la manía de verlo todo y no perderse nada antes de morir, que si antes de la guerra tenía tierras, pero mucho antes de la guerra, y que se las habían quitado con ocasión de unos líos familiares, que mi madre era romántica de naturaleza y se lo dejaba quitar todo, que no se llevaba bien con mi marido porque eran muy distintos, que muchas cosas de Joan a mamá no le acababan de gustar, que le había cogido la manía de que para mi boda él me regalara un libro y que Joan decía que aquello de los libros era propio de gente perezosa y pasada de moda, y que mamá decía que el matrimonio no funciona si no hay libros de por medio, que es necesario que haya intercambio espiritual entre el hombre y la mujer, soñar juntos, quererse delante del mundo y no de espaldas al mundo.

Después de hablar mucho rato callé. Ya no sabía qué decir y me daba vergüenza continuar la conversación con un tipo extraño, distinto a los que había conocido hasta entonces. No entendía su curiosidad, su manera incisiva de preguntarme cosas de mi vida, cosas banales e intrascendentes. Pensé que qué le importaba. Que mi historia era breve y anodina al lado de la suya, llena de luchas, de huelgas, de ruido y de aventuras. Y al lado de la de su hijo, tan bien plantado y tan juerguista, que murió en el frente y había ido a la Plaza de Cataluña con los pantalones limpios y había vuelto con los pantalones sucios y rotos. Que yo no me distinguía demasiado de nuestras amistades, entre las que todo siempre acababa y empezaba de la misma manera. Salvo el verano del treinta y cuatro, de aquel otoño en que.

Pero todo el mundo tiene un verano y un otoño en su vida. En realidad estoy hecha a base de recortes, de acontecimientos minúsculos, que nunca tendrán importancia. Miré al viejo de la

FAI y la red de hilillos de sangre de sus ojos estaba quieta, clavada hacia delante, y sus ojos eran inmóviles. Y pensé en los ojos de Ignasi, candentes como llamas cuando me contaba lo de la Arrabassada. Y en los ojos negros y menudos de Joan, ojos de pájaro, y en el día en que me dijo que me quería, que más me lo decían sus ojos que sus labios, y que me quería porque era limpia como su madre y que me haría muy feliz y que sería la mujer más bonita de Valldoreix. Los ojos de Joan eran finos y alargados, como de chino, y cuando reía se le cerraban y parecían una rendija, un hilo negro. Y los ojos ardientes como llamas, y los brillantes del viejo me daban vueltas y más vueltas por la cabeza, haciendo tumbos y espirales, cada vez más espesos y cada vez más de prisa y más de prisa hasta formar una bola muy gorda, y era igual que la de la noche de bodas, la misma bola pegajosa y peluda que se me pegaba a la piel y me oprimía el pecho, como si fuese el fantasma de Ignasi, y sentí de nuevo mi chillido, el chillido que hizo detenerse a Joan y preguntarme que qué me pasaba. Y fue durante la noche de bodas cuando Joan lo descubrió.

El viejo de la FAI se adormecía, su cabeza daba ligeras cabezadas, de repente hacía un movimiento brusco y le caía del todo y apoyaba un rato la barbilla sobre el pecho. Entonces me di cuenta de que tenía la nariz roída y de que su piel no era de color oliva ni de color de miel, sino de color de geranio, rosa. Ingresaban a un herido y me levanté a mirarlo por si era Joan. Era un muchacho muy joven que tenía los ojos abiertos de par en par y la cara morada y que me pareció que no veía nada. Las piernas le colgaban como si fueran dos muñecas de trapo. Pero estaba vivo. Y recé para que fuera el sobrino del viejo de ojos brillantes. Salí del hospital sin despedirme de él. Me topé con dos soldados que llevaban una litera con un montón de carne chamuscada, de miembros retorcidos, y me dije, ojalá no sea Joan, ojalá no sea su sobrino.

La noche se iba y la atmósfera era de gasa, había una especie de extraña claridad, una claridad alargada y muy blanca, en formas horizontales. Las casas se agrisaban poco a poco. Sentí un aroma de rosas, y eran rosas que trepaban por una pared. Pensé que había pasado toda la noche en el hospital. Tenía mucha hambre. Empecé a caminar maquinalmente, pero me sentía las piernas como huecas, como si no tuviera varices ni callos, y era por el rato que había pasado sentada. Cada vez andaba más de prisa, más ligera. Vi un cartel que pedía ayuda a la mujer, participación activa en la retaguardia. En un balcón una mujer regaba una esparraguera. Pensé que algún día encontraría a Joan y me regalaría otro cactus para mi colección y que hacía mucho rato que no lloraba. Las calles se iban despertando, ya habían olvidado los bombardeos. Y es que la noche ya se había ido y la claridad era cada vez más blanca y más limpia. Había casas en ruinas con los hierros retorcidos y ahogadas por la tristeza. Sus paredes estaban llenas de polvo que caía en hilachas como lluvia de harina. Pero otras casas miraban al cielo, contentas de estar vivas. Y el hambre, que me ponía rígidos los carrillos. Tal vez nunca volvería a ver a Joan. Había un silencio de muerte, un silencio abrumado, pero poco a poco la ciudad se reponía. El alba caía en un solo color. Pensé que Barcelona era muy bonita por la mañana. La gente andaba sin prisa, se detenía y hablaba del tiempo, decía, hoy ya no hace el frío de anoche. Una mujer barría delante de su portería, otra había salido en bata al balcón y limpiaba las persianas con un sacudidor. Como en tiempos de paz, pensé. Y las imágenes de Ignasi, de Patrícia, de tía Sixta, de Kati, se convertían en sombras, se difuminaban, se me hacían borrosas dentro del cerebro. Y me pareció que toda la gente que me rodeaba ponía la cara del muchacho de las mejillas sonrosadas que había ido a hacer la revolución con los pantalones limpios y había vuelto con los pantalones sucios y rotos. Había una vieja con el cabello muy corto y cortado como si fuese de paja que rastreaba un montón de basura. Tal vez no encontraría el cadáver de Joan. La vieja tenía la piel de las manos morena como el barro y las uñas negras. Y las sombras de mi cerebro habían desaparecido ya del todo, eran claros de luz. La vieja había empezado a roer con ansia un pedazo de pan. Se le acercó un perro. Que viviera toda la vida sin saber qué había sido de Joan. Y yo con un hijo suyo dentro. Pero la memoria se me iba vaciando lentamente y sólo veía lo que me rodeaba. Sin saber si Joan había muerto quemado, en medio de un incendio, o sepultado entre los escombros, sin poder respirar y agonizando poco a poco, o asesinado por alguien que hubie-

se descubierto sus intenciones de pasarse a los nacionales. El perro mostraba los dientes, tal vez no volvería a verle, el perro mostraba los dientes, la imagen de Joan también se desfiguraba, se borraba entre las claridades del día. No tenía miedo, pese a que el hambre era cada vez más punzante, sentía la boca llena de agua, pero con una especie de gusto muy dulce, como de curação. El perro enseñaba los dientes y tocaba las faldas de la anciana. Pensé, ahora comeré y luego dormiré un rato. La vieja, asustada, había tropezado y ella y el perro rodaban entre las inmundicias.

Me puse a correr y ayudé a la vieja a ganar la batalla del pedazo de pan.

Barcelona, 1970-1972.